中华人民共和国国家标准

综合布线系统工程设计规范

Code for engineering design of generic cabling system

GB 50311-2016

主编部门：中华人民共和国工业和信息化部
批准部门：中华人民共和国住房和城乡建设部
施行日期：2 0 1 7 年 4 月 1 日

中国计划出版社

2016 北京

中华人民共和国国家标准
综合布线系统工程设计规范
GB 50311-2016

☆

中国计划出版社出版发行
网址：www.jhpress.com
地址：北京市西城区木樨地北里甲11号国宏大厦C座3层
邮政编码：100038　电话：（010）63906433（发行部）
三河富华印刷包装有限公司印刷

850mm×1168mm　1/32　4.625印张　116千字
2017年1月第1版　2023年7月第10次印刷
☆
统一书号：1580242·998
定价：28.00元

版权所有　侵权必究
侵权举报电话：（010）63906404
如有印装质量问题，请寄本社出版部调换

中华人民共和国住房和城乡建设部公告

第 1292 号

住房城乡建设部关于发布国家标准《综合布线系统工程设计规范》的公告

现批准《综合布线系统工程设计规范》为国家标准,编号为 GB 50311—2016,自 2017 年 4 月 1 日起实施。其中,第 4.1.1、4.1.2、4.1.3、8.0.10 条(款)为强制性条文,必须严格执行。原《综合布线系统工程设计规范》GB 50311—2007 同时废止。

本规范由我部标准定额研究所组织中国计划出版社出版发行。

中华人民共和国住房和城乡建设部
2016 年 8 月 26 日

前　言

根据住房和城乡建设部《关于印发〈2012年工程建设标准规范制订、修订计划〉的通知》(建标〔2012〕5号)的要求，本规范由中国移动通信集团设计院有限公司会同有关单位共同修订完成。

编制组在编制过程中，广泛调查研究，认真总结实践经验，参考有关国际标准和国外标准，在广泛征求意见的基础上，最后经审查定稿。

本规范共分9章和3个附录，主要技术内容包括：总则、术语和缩略语、系统设计、光纤到用户单元通信设施、系统配置设计、性能指标、安装工艺要求、电气防护及接地、防火等。

本规范修订的主要技术内容有：

(1)在《综合布线系统工程设计规范》GB 50311—2007内容基础上，对建筑群与建筑物综合布线系统及通信基础设施工程的设计要求进行了补充与完善。

(2)增加了布线系统在弱电系统中的应用相关内容。

(3)增加了光纤到用户单元通信设施工程设计要求，并新增有关光纤到用户单元通信设施工程建设的强制性条文。

(4)丰富了管槽和设备的安装工艺要求。

(5)增加了相关附录。

本规范中以黑体字标志的条文为强制性条文，必须严格执行。

本规范由住房和城乡建设部负责管理和对强制性条文的解释，由中华人民共和国工业和信息化部负责日常管理，由中国移动通信集团设计院有限公司负责具体技术内容的解释。执行过程中如有意见或建议，请寄送中国移动通信集团设计院有限公司(地址：北京市海淀区丹棱街甲16号，邮政编码：100080)。

本规范主编单位、参编单位、主要起草人和主要审查人：

主 编 单 位：中国移动通信集团设计院有限公司
参 编 单 位：中国建筑标准设计研究院
　　　　　　　中国建筑设计院有限公司
　　　　　　　中国建筑东北设计研究院有限公司
　　　　　　　上海现代设计集团华东建筑设计研究院有限公司
　　　　　　　中国五洲工程设计集团有限公司
　　　　　　　北京市建筑设计研究院
　　　　　　　福建省建筑设计研究院
　　　　　　　宁波一舟投资集团有限公司
　　　　　　　南京普天天纪楼宇智能有限公司
　　　　　　　上海天诚通信技术有限公司
　　　　　　　苏州康普国际贸易有限公司
　　　　　　　西蒙动力网络工程产品贸易（上海）有限公司
　　　　　　　德特威勒电缆系统（苏州）有限公司
　　　　　　　罗森伯格亚太电子有限公司
主要起草人：张　宜　张晓微　王改红　王铁成　顾　欣
　　　　　　　孙　兰　陈　琪　成　彦　瞿二澜　朱立彤
　　　　　　　刘　侃　陈汉民　肖必龙　冯　岭　黎镜锋
　　　　　　　吴　健　陈宇通　曾松鸣　孙慧永
主要审查人：揭水平　焦建欣　李雪佩　魏　旗　张成泉
　　　　　　　詹叶青　曲来莹　黄小兵　孙晓东　祝　晨
　　　　　　　王俊杰　巩　欣　章轩浩

目　次

1 总　则 …………………………………………………… （ 1 ）
2 术语和缩略语 …………………………………………… （ 2 ）
　2.1 术语 ………………………………………………… （ 2 ）
　2.2 缩略语 ……………………………………………… （ 5 ）
3 系统设计 ………………………………………………… （ 8 ）
　3.1 系统构成 …………………………………………… （ 8 ）
　3.2 系统分级与组成 …………………………………… （11）
　3.3 缆线长度划分 ……………………………………… （13）
　3.4 系统应用 …………………………………………… （16）
　3.5 屏蔽布线系统 ……………………………………… （19）
　3.6 开放型办公室布线系统 …………………………… （19）
　3.7 工业环境布线系统 ………………………………… （20）
　3.8 综合布线在弱电系统中的应用 …………………… （23）
4 光纤到用户单元通信设施 ……………………………… （25）
　4.1 一般规定 …………………………………………… （25）
　4.2 用户接入点设置 …………………………………… （26）
　4.3 配置原则 …………………………………………… （28）
　4.4 缆线与配线设备的选择 …………………………… （30）
　4.5 传输指标 …………………………………………… （31）
5 系统配置设计 …………………………………………… （32）
　5.1 工作区 ……………………………………………… （32）
　5.2 配线子系统 ………………………………………… （32）
　5.3 干线子系统 ………………………………………… （34）
　5.4 建筑群子系统 ……………………………………… （35）

5.5　入口设施 …………………………………………………（35）
　　5.6　管理系统 …………………………………………………（36）
6　性能指标 …………………………………………………………（38）
　　6.1　缆线与连接器件性能指标 ………………………………（38）
　　6.2　系统性能指标 ……………………………………………（40）
7　安装工艺要求 ……………………………………………………（42）
　　7.1　工作区 ……………………………………………………（42）
　　7.2　电信间 ……………………………………………………（43）
　　7.3　设备间 ……………………………………………………（44）
　　7.4　进线间 ……………………………………………………（45）
　　7.5　导管与桥架安装 …………………………………………（46）
　　7.6　缆线布放 …………………………………………………（48）
　　7.7　设备安装设计 ……………………………………………（51）
8　电气防护及接地 …………………………………………………（52）
9　防　　火 …………………………………………………………（54）
附录A　系统指标 …………………………………………………（55）
附录B　8位模块式通用插座端子支持的通信业务 ………（70）
附录C　缆线传输性能与传输距离 ………………………（71）
本规范用词说明 ……………………………………………………（80）
引用标准名录 ………………………………………………………（81）
附：条文说明 ………………………………………………………（83）

Contents

1 General provisions ·· (1)
2 Terms and abbreviations ································· (2)
   2.1 Terms ·· (2)
   2.2 Abbreviations ·· (5)
3 System design ·· (8)
   3.1 System components ································ (8)
   3.2 System classification and composition ········· (11)
   3.3 Cable length divided ······························· (13)
   3.4 System application ································· (16)
   3.5 Shielding cabling system ·························· (19)
   3.6 Open office cabling system ······················· (19)
   3.7 Industrial environment cabling system ········· (20)
   3.8 Cabling used in weak system ····················· (23)
4 Fiber to the subscriber unit communication
   facilities ·· (25)
   4.1 General requirements ······························· (25)
   4.2 The subscriber access point settings ············ (26)
   4.3 Collocating principle ······························· (28)
   4.4 Cable and wiring equipment selection ·········· (30)
   4.5 Transmission indicators ···························· (31)
5 System configuration design ····························· (32)
   5.1 Work area ·· (32)
   5.2 Wiring subsystem ··································· (32)
   5.3 Link subsystem ····································· (34)

5.4 Campus subsystem (35)
5.5 Entrance facilities (35)
5.6 Distribution management system (36)
6 Performance indicators (38)
6.1 Cable and connecting hardware performance indicators (38)
6.2 System performance indicators (40)
7 Installation requirements (42)
7.1 Work area (42)
7.2 Telecommunications room (43)
7.3 Equipment room (44)
7.4 Line room (45)
7.5 Ducts installation design (46)
7.6 Cable laying (48)
7.7 Equipment installation design (51)
8 Electrical protection and grounding (52)
9 Fire prevention (54)
Appendix A System indicators (55)
Appendix B Modular connector pin assignment for applications (70)
Appendix C Cable transmission performance and distance (71)
Explanation of wording in this code (80)
List of quoted standards (81)
Addition: Explanation of provisions (83)

1 总 则

1.0.1 为了规范建筑与建筑群的语音、数据、图像及多媒体业务综合网络建设,制定本规范。

1.0.2 本规范适用于新建、扩建、改建建筑与建筑群综合布线系统工程设计。

1.0.3 综合布线系统设施的建设,应纳入建筑与建筑群相应的规划设计之中,根据工程项目的性质、功能、环境条件和近、远期用户需求进行设计,应考虑施工和维护方便,确保综合布线系统工程的质量和安全,做到技术先进、经济合理。

1.0.4 综合布线系统宜与信息网络系统、安全技术防范系统、建筑设备监控系统等的配线作统筹规划,同步设计,并应按照各系统对信息的传输要求,做到合理优化设计。

1.0.5 综合布线系统工程设计中应选用出具合格检验报告、符合国家有关技术要求的定型产品。

1.0.6 综合布线系统的工程设计除应符合本规范外,尚应符合国家现行有关标准的规定。

2 术语和缩略语

2.1 术 语

2.1.1 布线 cabling

能够支持电子信息设备相连的各种缆线、跳线、接插软线和连接器件组成的系统。

2.1.2 建筑群子系统 campus subsystem

建筑群子系统由配线设备、建筑物之间的干线缆线、设备缆线、跳线等组成。

2.1.3 电信间 telecommunications room

放置电信设备、缆线终接的配线设备,并进行缆线交接的一个空间。

2.1.4 工作区 work area

需要设置终端设备的独立区域。

2.1.5 信道 channel

连接两个应用设备的端到端的传输通道。

2.1.6 链路 link

一个CP链路或是一个永久链路。

2.1.7 永久链路 permanent link

信息点与楼层配线设备之间的传输线路。它不包括工作区缆线和连接楼层配线设备的设备缆线、跳线,但可以包括一个CP链路。

2.1.8 集合点 consolidation point(CP)

楼层配线设备与工作区信息点之间水平缆线路由中的连接点。

2.1.9 CP链路 CP link

楼层配线设备与集合点(CP)之间,包括两端的连接器件在内的永久性的链路。

2.1.10 建筑群配线设备　campus distributor
终接建筑群主干缆线的配线设备。

2.1.11 建筑物配线设备　building distributor
为建筑物主干缆线或建筑群主干缆线终接的配线设备。

2.1.12 楼层配线设备　floor distributor
终接水平缆线和其他布线子系统缆线的配线设备。

2.1.13 入口设施　building entrance facility
提供符合相关规范的机械与电气特性的连接器件,使得外部网络缆线引入建筑物内。

2.1.14 连接器件　connecting hardware
用于连接电缆线对和光缆光纤的一个器件或一组器件。

2.1.15 光纤适配器　optical fibre adapter
将光纤连接器实现光学连接的器件。

2.1.16 建筑群主干缆线　campus backbone cable
用于在建筑群内连接建筑群配线设备与建筑物配线设备的缆线。

2.1.17 建筑物主干缆线　building backbone cable
入口设施至建筑物配线设备、建筑物配线设备至楼层配线设备、建筑物内楼层配线设备之间相连接的缆线。

2.1.18 水平缆线　horizontal cable
楼层配线设备至信息点之间的连接缆线。

2.1.19 CP缆线　CP cable
连接集合点(CP)至工作区信息点的缆线。

2.1.20 信息点(TO)　telecommunications outlet
缆线终接的信息插座模块。

2.1.21 设备缆线　equipment cable
通信设备连接到配线设备的缆线。

2.1.22 跳线　patch cord/jumper
不带连接器件或带连接器件的电缆线对和带连接器件的光纤,用于配线设备之间进行连接。

2.1.23 缆线 cable
电缆和光缆的统称。

2.1.24 光缆 optical cable
由单芯或多芯光纤构成的缆线。

2.1.25 线对 pair
由两个相互绝缘的导体对绞组成,通常是一个对绞线对。

2.1.26 对绞电缆 balanced cable
由一个或多个金属导体线对组成的对称电缆。

2.1.27 屏蔽对绞电缆 screened balanced cable
含有总屏蔽层和/或每线对屏蔽层的对绞电缆。

2.1.28 非屏蔽对绞电缆 unscreened balanced cable
不带有任何屏蔽物的对绞电缆。

2.1.29 接插软线 patch cord
一端或两端带有连接器件的软电缆。

2.1.30 多用户信息插座 multi-user telecom-munication outlet
工作区内若干信息插座模块的组合装置。

2.1.31 配线区 the wiring zone
根据建筑物的类型、规模、用户单元的密度,以单栋或若干栋建筑物的用户单元组成的配线区域。

2.1.32 配线管网 the wiring pipeline network
由建筑物外线引入管、建筑物内的竖井、管、桥架等组成的管网。

2.1.33 用户接入点 the subscriber access point
多家电信业务经营者的电信业务共同接入的部位,是电信业务经营者与建筑建设方的工程界面。

2.1.34 用户单元 subscriber unit
建筑物内占有一定空间、使用者或使用业务会发生变化的、需要直接与公用电信网互联互通的用户区域。

2.1.35 光纤到用户单元通信设施 fiber to the subscriber

unit communication facilities

光纤到用户单元工程中，建筑规划用地红线内地下通信管道、建筑内管槽及通信光缆、光配线设备、用户单元信息配线箱及预留的设备间等设备安装空间。

2.1.36 配线光缆　wiring optical cable

用户接入点至园区或建筑群光缆的汇聚配线设备之间，或用户接入点至建筑规划用地红线范围内与公用通信管道互通的人（手）孔之间的互通光缆。

2.1.37 用户光缆　subscriber optical cable

用户接入点配线设备至建筑物内用户单元信息配线箱之间相连接的光缆。

2.1.38 户内缆线　indoor cable

用户单元信息配线箱至用户区域内信息插座模块之间相连接的缆线。

2.1.39 信息配线箱　information distribution box

安装于用户单元区域内的完成信息互通与通信业务接入的配线箱体。

2.1.40 桥架　cable tray

梯架、托盘及槽盒的统称。

2.2　缩　略　语

ACR-F(Attenuation to Crosstalk Ratio at the Far-end) 衰减远端串音比

ACR-N(Attenuation to Crosstalk Ratio at the Near-end) 衰减近端串音比

BD(Building Distributor)　　　建筑物配线设备

CD(Campus Distributor)　　　建筑群配线设备

CP(Consolidation Point)　　　集合点

d.c.(Direct Current loop resistance)　　　直流环路电阻

ELTCTL(Equal Level TCTL) 两端等效横向转换损耗
FD(Floor Distributor) 楼层配线设备
FEXT[Far End Crosstalk Attenuation（loss）] 远端串音
ID(Intermediate Distributor) 中间配线设备
IEC(International Electrotechnical Commission) 国际电工技术委员会
IEEE(the Institute of Electrical and Electronics Engineers) 美国电气及电子工程师学会
IL(Insertion Loss) 插入损耗
IP(Internet Protocol) 因特网协议
ISDN(Integrated Services Digital Network) 综合业务数字网
ISO(International Organization for Standardization) 国际标准化组织
MUTO(Multi-User Telecom-munications Outlet) 多用户信息插座
MPO(Multi-fiber Push On) 多芯推进锁闭光纤连接器件
NI(Network Interface) 网络接口
NEXT[Near End Crosstalk Attenuation（loss）] 近端串音
OF(Optical Fibre) 光纤
POE(Power Over Ethernet) 以太网供电
PS NEXT[Power Sum Near End Crosstalk Attenuation（loss）] 近端串音功率和
PS AACR-F(Power Sum Attenuation to Alien Crosstalk Ratio at the Far-end) 外部远端串音比功率和
PS AACR-F$_{avg}$(Average Power Sum Attenuation to Alien Crosstalk Ratio at the Far-end) 外部远端串音比功率和平均值

PS ACR-F(Power Sum Attenuation to Crosstalk Ratio at the Far-end) 衰减远端串音比功率和

PS ACR-N(Power Sum Attenuation to Crosstalk Ratio at the Near-end) 衰减近端串音比功率和

PS ANEXT[Power Sum Alien Near-End Crosstalk(loss)] 外部近端串音功率和

PS ANEXT$_{avg}$ [Average Power Sum Alien Near-End Crosstalk(loss)] 外部近端串音功率和平均值

PS FEXT[Power Sum Far end Crosstalk(loss)] 远端串音功率和

RL(Return Loss) 回波损耗

SC[Subscriber Connector(optical fibre connector)] 用户连接器件(光纤活动连接器件)

SW(Switch) 交换机

SFF(Small Form Factor connector) 小型光纤连接器件

TCL(Transverse Conversion Loss) 横向转换损耗

TCTL(Transverse Conversion Transfer Loss) 横向转换转移损耗

TE(Terminal Equipment) 终端设备

TO(Telecommunications Outlet) 信息点

TIA(Telecommunications Industry Association) 美国电信工业协会

UL(Underwriters Laboratories) 美国保险商实验所安全标准

Vr.m.s(Vroot.mean.square) 电压有效值

3 系统设计

3.1 系统构成

3.1.1 综合布线系统应为开放式网络拓扑结构,应能支持语音、数据、图像、多媒体等业务信息传递的应用。

3.1.2 综合布线系统的构成应符合下列规定：

1 综合布线系统的基本构成应包括建筑群子系统、干线子系统和配线子系统(图 3.1.2-1)。配线子系统中可以设置集合点(CP),也可不设置集合点。

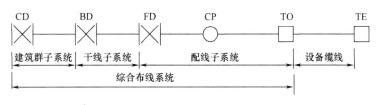

图 3.1.2-1 综合布线系统基本构成

2 综合布线各子系统中,建筑物内楼层配线设备(FD)之间、不同建筑物的建筑物配线设备(BD)之间可建立直达路由[图 3.1.2-2(a)]。工作区信息插座(TO)可不经过楼层配线设备(FD)直接连接至建筑物配线设备(BD),楼层配线设备(FD)也可不经过建筑物配线设备(BD)直接与建筑群配线设备(CD)互连[图 3.1.2-2(b)]。

3 综合布线系统入口设施连接外部网络和其他建筑物的引入缆线,应通过缆线和 BD 或 CD 进行互连(图 3.1.2-3)。对设置了设备间的建筑物,设备间所在楼层配线设备(FD)可以和设备间中的建筑物配线设备或建筑群配线设备(BD/CD)及入口设施安装在同一场地。

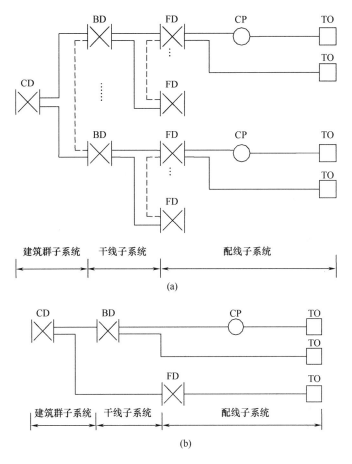

图 3.1.2-2 综合布线子系统构成

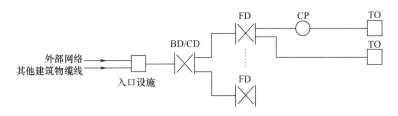

图 3.1.2-3 综合布线系统引入部分构成

4 综合布线系统典型应用中,配线子系统信道应由4对对绞电缆和电缆连接器件构成,干线子系统信道和建筑群子系统信道应由光缆和光连接器件组成。其中楼层配线设备(FD)和建筑群配线设备(CD)处的配线模块和网络设备之间可采用互连或交叉的连接方式,建筑物配线设备(BD)处的光纤配线模块可仅对光纤进行互连(图3.1.2-4)。

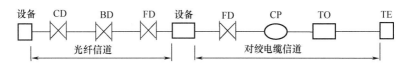

图3.1.2-4 综合布线系统应用典型连接与组成

3.1.3 综合布线系统工程设计应符合下列规定:

1 一个独立的需要设置终端设备(TE)的区域宜划分为一个工作区。工作区应包括信息插座模块(TO)、终端设备处的连接缆线及适配器。

2 配线子系统应由工作区内的信息插座模块、信息插座模块至电信间配线设备(FD)的水平缆线、电信间的配线设备及设备缆线和跳线等组成。

3 干线子系统应由设备间至电信间的主干缆线、安装在设备间的建筑物配线设备(BD)及设备缆线和跳线组成。

4 建筑群子系统应由连接多个建筑物之间的主干缆线、建筑群配线设备(CD)及设备缆线和跳线组成。

5 设备间应为在每栋建筑物的适当地点进行配线管理、网络管理和信息交换的场地。综合布线系统设备间宜安装建筑物配线设备、建筑群配线设备、以太网交换机、电话交换机、计算机网络设备。入口设施也可安装在设备间。

6 进线间应为建筑物外部信息通信网络管线的入口部位,并可作为入口设施的安装场地。

7 管理应对工作区、电信间、设备间、进线间、布线路径环境中的配线设备、缆线、信息插座模块等设施按一定的模式进行标识、记录和管理。

3.1.4 综合布线系统与外部配线网连接时,应遵循相应的接口要求。

3.2 系统分级与组成

3.2.1 综合布线电缆布线系统的分级与类别划分应符合表3.2.1的规定。

表3.2.1 电缆布线系统的分级与类别

系统分级	系统产品类别	支持最高带宽(Hz)	支持应用器件	
			电缆	连接硬件
A	—	100K	—	—
B	—	1M	—	—
C	3类(大对数)	16M	3类	3类
D	5类(屏蔽和非屏蔽)	100M	5类	5类
E	6类(屏蔽和非屏蔽)	250M	6类	6类
E_A	6_A类(屏蔽和非屏蔽)	500M	6_A类	6_A类
F	7类(屏蔽)	600M	7类	7类
F_A	7_A类(屏蔽)	1000M	7_A类	7_A类

注:5、6、6_A、7、7_A类布线系统应能支持向下兼容的应用。

3.2.2 布线系统信道应由长度不大于90m的水平缆线、10m的跳线和设备缆线及最多4个连接器件组成,永久链路则应由长度不大于90m水平缆线及最多3个连接器件组成(图3.2.2)。

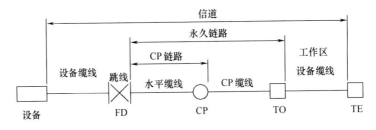

图3.2.2 布线系统信道、永久链路、CP链路构成

3.2.3 光纤信道应分为 OF-300、OF-500 和 OF-2000 三个等级，各等级光纤信道应支持的应用长度不应小于 300m、500m 及 2000m。

3.2.4 光纤信道构成方式应符合下列规定：

1 水平光缆和主干光缆可在楼层电信间的光配线设备(FD)处经光纤跳线连接构成信道(图 3.2.4-1)。

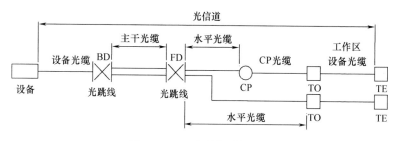

图 3.2.4-1 光纤信道构成 1

2 水平光缆和主干光缆可在楼层电信间处经接续(熔接或机械连接)互通构成光纤信道(图 3.2.4-2)。

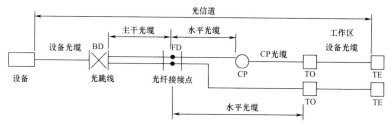

图 3.2.4-2 光纤信道构成 2

3 电信间可只作为主干光缆或水平光缆的路径场所(图 3.2.4-3)。

3.2.5 当工作区用户终端设备或某区域网络设备需直接与公用通信网进行互通时，宜将光缆从工作区直接布放至电信业务经营者提供的入口设施处的光配线设备。

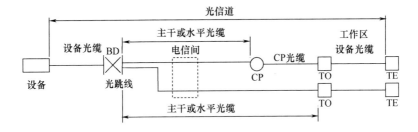

图 3.2.4-3 光纤信道构成 3

3.3 缆线长度划分

3.3.1 主干缆线组成的信道出现 4 个连接器件时,缆线的长度不应小于 15m。

3.3.2 配线子系统信道的最大长度不应大于 100m(图 3.3.2),长度应符合表 3.3.2 的规定。

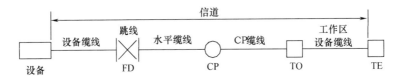

图 3.3.2 配线子系统缆线划分

表 3.3.2 配线子系统缆线长度

连接模型	最小长度(m)	最大长度(m)
FD-CP	15	85
CP-TO	5	—
FD-TO(无 CP)	15	90
工作区设备缆线①	2	5
跳线	2	—
FD 设备缆线②	2	5
设备缆线与跳线总长度	—	10

注:①此处没有设置跳线时,设备缆线的长度不应小于 1m。
②此处不采用交叉连接时,设备缆线的长度不应小于 1m。

3.3.3 缆线长度计算应符合下列规定：
 1 配线子系统(水平)信道长度应符合下列规定：
  1)配线子系统信道应由永久链路的水平缆线和设备缆线组成，可包括跳线和CP缆线(图3.3.3-1)。

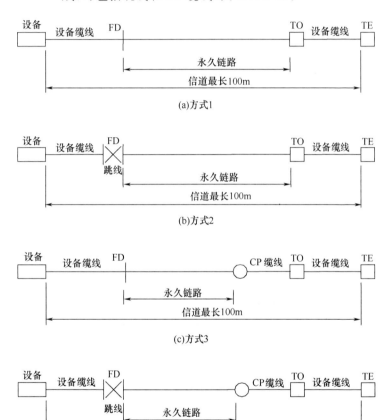

图 3.3.3-1 配线子系统信道连接方式

  2)配线子系统信道长度计算方法应符合表3.3.3-1规定。

表 3.3.3-1 配线子系统信道长度计算

连接模型	对应图号	等级		
		D	E 或 E_A	F 或 F_A
FD 互连—TO	图 3.3.3-1	$H=109-FX$	$H=107-3-FX$	$H=107-2-FX$
FD 交叉—TO	图 3.3.3-2	$H=107-FX$	$H=106-3-FX$	$H=106-3-FX$
FD 互连—CP—TO	图 3.3.3-3	$H=107-FX-CY$	$H=106-3-FX-CY$	$H=106-3-FX-CY$
FD 交叉—CP—TO	图 3.3.3-4	$H=105-FX-CY$	$H=105-3-FX-CY$	$H=105-3-FX-CY$

注:1 计算公式中:H 为水平电缆线的最大长度(m),F 为楼层配线设备(FD)缆线和跳线工作区设备线缆线总长度(m),C 为集合点(CP)缆线的长度(m),X 为设备缆线和跳线的插入损耗(dB/m)与水平缆线的插入损耗(dB/m)之比,Y 为集合点(CP)缆线的插入损耗(dB/m)与水平缆线的插入损耗(dB/m)之比,2 和 3 为余量,以适应插入损耗值的偏离。

2 水平电缆的应用长度会受到工作环境温度的影响。当工作环境温度超过 20℃时,屏蔽电缆长度按每摄氏度减少 0.2%计算,对非屏蔽电缆长度则按每摄氏度减少 0.4%(20℃~40℃)和每摄氏度减少 0.6%(>40℃~60℃)计算。

2 干线子系统信道长度应符合下列规定：

1）干线子系统信道应包括主干缆线、跳线和设备缆线（图 3.3.3-2）。

图 3.3.3-2 干线子系统信道连接方式

2）干线子系统信道长度计算方法应符合表 3.3.3-2 的规定。

3.4 系统应用

3.4.1 综合布线系统工程的产品类别及链路、信道等级的确定应综合考虑建筑物的性质、功能、应用网络和业务对传输带宽及缆线长度的要求、业务终端的类型、业务的需求及发展、性能价格、现场安装条件等因素，并应符合表 3.4.1 的规定。

表 3.4.1 布线系统等级与类别的选用

业务种类		配线子系统		干线子系统		建筑群子系统	
		等级	类别	等级	类别	等级	类别
语音		D/E	5/6(4 对)	C/D	3/5(大对数)	C	3(室外大对数)
数据	电缆	D、E、E_A、F、F_A	5、6、6_A、7、7_A(4 对)	E、E_A、F、F_A	6、6_A、7、7_A(4 对)	—	—
	光纤	OF-300 OF-500 OF-2000	OM1、OM2、OM3、OM4 多模光缆；OS1、OS2 单模光缆及相应等级连接器件	OF-300 OF-500 OF-2000	OM1、OM2、OM3、OM4 多模光缆；OS1、OS2 单模光缆及相应等级连接器件	OF-300 OF-500 OF-2000	OS1、OS2 单模光缆及相应等级连接器件
其他应用[①]		可采用 5/6/6_A 类 4 对对绞电缆和 OM1/OM2/OM3/OM4 多模、OS1/OS2 单模光缆及相应等级连接器件					

注：① 为建筑物其他弱电子系统采用网络端口传送数字信息时的应用。

表 3.3.3-2 干线子系统信道长度计算

类别	等级							
	A	B	C	D	E	E_A	F	F_A
5	2000	$B=250-FX$	$B=170-FX$	$B=105-FX$	—	—	—	—
6	2000	$B=260-FX$	$B=185-FX$	$B=111-FX$	$B=105-FX$	—	—	—
6_A	2000	$B=260-FX$	$B=189-FX$	$B=114-FX$	$B=108-3-FX$	$B=105-3-FX$	—	—
7	2000	$B=260-FX$	$B=190-FX$	$B=115-FX$	$B=109-3-FX$	$B=107-3-FX$	$B=105-3-FX$	—
7_A	2000	$B=260-FX$	$B=192-FX$	$B=117-FX$	$B=111-3-FX$	$B=105-3-FX$	$B=105-3-FX$	$B=105-3-FX$

注:1 计算公式中:B 为主干线的长度(m),F 为设备线缆与跳线总长度(m),X 为设备线缆的插入损耗(dB/m)与主干线缆的插入损耗(dB/m)之比,3 为余量,以适应插入损耗值的偏离。

2 当信道包含的连接点数与图 3.3.3-2 所示不同,当连接点大于或小于 6 个时,线缆敷设长度应减少或增加。减少与增加线缆长度的原则为:5 类电缆,按每个连接点对应 2m 计;6 类、6_A 类和 7 类电缆,按每个连接点对应 1m 计。而且宜对 NEXT、RL 和 ACR-F 予以验证。

3 主干电缆(连接 FD~BD,BD~BD,FD~CD,BD~CD)的应用长度会受到工作环境温度的影响。当工作环境温度超过 20℃时,屏蔽电缆长度每摄氏度减少 0.2%计算。对非屏蔽电缆长度则按每摄氏度减少 0.4%(20℃~40℃)和每摄氏度减少 0.6%(>40℃~60℃)计算。

3.4.2 同一布线信道及链路的缆线、跳线和连接器件应保持系统等级与阻抗的一致性。

3.4.3 综合布线系统光纤信道应采用标称波长为 850nm 和 1300nm 的多模光纤（OM1、OM2、OM3、OM4），标称波长为 1310nm 和 1550nm（OS1），1310nm、1383nm 和 1550nm（OS2）的单模光纤。

3.4.4 单模和多模光缆的选用应符合网络的构成方式、业务的互联方式、以太网交换机端口类型及网络规定的光纤应用传输距离。在楼内宜采用多模光缆，超过多模光纤支持的应用长度或需直接与电信业务经营者通信设施相连时应采用单模光缆。

3.4.5 配线设备之间互连的跳线宜选用产业化制造的产品，跳线的类别应符合综合布线系统的等级要求。在应用电话业务时宜选用双芯对绞电缆。

3.4.6 工作区信息点为电端口时应采用 8 位模块通用插座，光端口应采用 SC 或 LC 光纤连接器件及适配器。

3.4.7 FD、BD、CD 配线设备应根据支持的应用业务、布线的等级、产品的性能指标选用，并应符合下列规定：

    1 应用于数据业务时，电缆配线模块应采用 8 位模块通用插座。

    2 应用于语音业务时，FD 干线侧及 BD、CD 处配线模块应选用卡接式配线模块（多对、25 对卡接式模块及回线型卡接模块），FD 水平侧配线模块应选用 8 位模块通用插座。

    3 光纤配线模块应采用单工或双工的 SC 或 LC 光纤连接器件及适配器。

    4 主干光缆的光纤容量较大时，可采用预端接光纤连接器件（MPO）互通。

3.4.8 CP 集合点安装的连接器件应选用卡接式配线模块或 8 位模块通用插座或各类光纤连接器件和适配器。

3.4.9 综合布线系统产品的选用应考虑缆线与器件的类型、规格、尺寸对安装设计与施工造成的影响。

3.5 屏蔽布线系统

3.5.1 屏蔽布线系统的选用应符合下列规定：

  1 当综合布线区域内存在的电磁干扰场强高于3V/m时，宜采用屏蔽布线系统。

  2 用户对电磁兼容性有电磁干扰和防信息泄漏等较高的要求时，或有网络安全保密的需要时，宜采用屏蔽布线系统。

  3 安装现场条件无法满足对绞电缆的间距要求时，宜采用屏蔽布线系统。

  4 当布线环境温度影响到非屏蔽布线系统的传输距离时，宜采用屏蔽布线系统。

3.5.2 屏蔽布线系统应选用相互适应的屏蔽电缆和连接器件，采用的电缆、连接器件、跳线、设备电缆都应是屏蔽的，并应保持信道屏蔽层的连续性与导通性。

3.6 开放型办公室布线系统

3.6.1 对于办公楼、综合楼等商用建筑物或公共区域大开间的场地，宜按开放型办公室综合布线系统要求进行设计。

3.6.2 采用多用户信息插座（MUTO）时，每一个多用户插座宜能支持12个工作区所需的8位模块通用插座，并宜包括备用量。

3.6.3 各段电缆长度应符合表3.6.3的规定，其中，C、W取值应按下列公式进行计算：

$$C = (102 - H)/(1 + D) \quad (3.6.3\text{-}1)$$

$$W = C - T \quad (3.6.3\text{-}2)$$

式中：C——工作区设备电缆、电信间跳线及设备电缆的总长度；

   H——水平电缆的长度，$(H+C) \leqslant 100$m；

   T——电信间内跳线和设备电缆长度；

   W——工作区设备电缆的长度；

D——调整系数,对 24 号线规 D 取为 0.2,对 26 号线规 D 取为 0.5。

表 3.6.3 各段电缆长度限值

电缆总长度 H(m)	24 号线规(AWG)		26 号线规(AWG)	
	W(m)	C(m)	W(m)	C(m)
90	5	10	4	8
85	9	14	7	11
80	13	18	11	15
75	17	22	14	18
70	22	27	17	21

3.6.4 采用集合点(CP)时,集合点配线设备与 FD 之间水平缆线的长度不应小于 15m,并应符合下列规定:

1 集合点配线设备容量宜满足 12 个工作区信息点的需求。
2 同一个水平电缆路由中不应超过一个集合点(CP)。
3 从集合点引出的 CP 电缆应终接于工作区的 8 位模块通用插座或多用户信息插座。
4 从集合点引出的 CP 光缆应终接于工作区的光纤连接器。

3.6.5 多用户信息插座和集合点的配线箱体应安装于墙体或柱子等建筑物固定的永久位置。

3.7 工业环境布线系统

3.7.1 在高温、潮湿、电磁干扰、撞击、振动、腐蚀气体、灰尘等恶劣环境中应采用工业环境布线系统,并应支持语音、数据、图像、视频、控制等信息的传递。

3.7.2 工业环境布线系统设置应符合下列规定:

1 工业级连接器件应使用于工业环境中的生产区、办公区或控制室与生产区之间的交界场所,也可应用于室外环境。
2 在工业设备较为集中的区域应设置现场配线设备。
3 工业环境中的配线设备应根据环境条件确定防护等级。

3.7.3 工业环境布线系统应由建筑群子系统、干线子系统、配线子系统、中间配线子系统组成(图 3.7.3)。

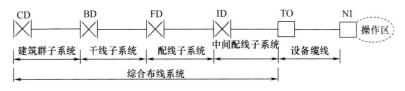

图 3.7.3 工业环境布线系统架构

3.7.4 工业环境布线系统的各级配线设备之间宜设置备份或互通的路由,并应符合下列规定:

1 建筑群 CD 与每一个建筑物 BD 之间应设置双路由,其中 1 条应为备份路由。

2 不同的建筑物 BD 与 BD、本建筑 BD 与另一栋建筑 FD 之间可设置互通的路由。

3 本建筑物不同楼层 FD 与 FD、本楼层 FD 与另一楼层 ID 之间可设置互通路由。

4 楼层内 ID 与 ID、ID 与非本区域的 TO 之间可设置互通的路由。

3.7.5 布线信道中含有中间配线子系统时,网络设备与 ID 配线模块之间应采用交叉或互连的连接方式。

3.7.6 在工程应用中,工业环境的布线系统应由光纤信道和对绞电缆信道构成(图 3.7.6),并应符合下列规定:

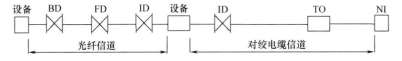

图 3.7.6 工业环境布线系统光纤信道与电缆信道构成

1 中间配线设备 ID 至工作区 TO 信息点之间对绞电缆信道应采用符合 D、E、E_A、F、F_A 等级的 5、6、6_A、7、7_A 布线产品。布线等级不应低于 D 级。

2 光纤信道可分为塑料光纤信道 OF-25、OF-50、OF-100、OF-200,石英多模光纤信道 OF-100、OF-300、OF-500 及单模光纤

信道 OF-2000、OF-5000、OF-10000 的信道等级。

3.7.7 中间配线设备 ID 处跳线与设备缆线的长度应符合表 3.7.7 的规定。

表 3.7.7 设备缆线与跳线长度

连接模型	最小长度(m)	最大长度(m)
ID-TO	15	90
工作区设备缆线	1	5
配线区跳线	2	—
配线区设备缆线①	2	5
跳线、设备缆线总长度	—	10

注:①此处没有设置跳线时,设备缆线的长度不应小于1m。

3.7.8 工业环境布线系统中间配线子系统设计应符合下列规定:

1 中间配线子系统信道应包括水平缆线、跳线和设备缆线(图 3.7.8)。

图 3.7.8 中间配线子系统构成

2 中间配线子系统链路长度计算应符合表 3.7.8 的规定。

表 3.7.8 中间配线子系统链路长度计算

连接模型	等级		
	D	E、E_A	F、F_A
ID 互连—TO	$H=109-FX$	$H=107-3-FX$	$H=107-2-FX$
ID 交叉—TO	$H=107-FX$	$H=106-3-FX$	$H=106-3-FX$

注:1 计算公式中:H 为中间配线子系统电缆的长度(m);F 为工作区设备缆线及 ID 处的设备缆线与跳线总长度(m);X 为设备缆线的插入损耗(dB/m)与水平缆线的插入损耗(dB/m)之比;3 为余量,以适应插入损耗值的偏离。

　　2 H 的应用长度会受到工作环境温度的影响。当工作环境温度超过 20℃时,屏蔽电缆长度按每摄氏度减少 0.2%计算,非屏蔽电缆长度则按每摄氏度减少 0.4%(20℃~40℃)和每摄氏度减少 0.6%(>40℃~60℃)计算。

3 中间配线子系统信道长度不应大于100m；中间配线子系统链路长度不应大于90m；设备电缆和跳线的总长度不应大于10m，大于10m时中间配线子系统水平缆线的长度应适当减少；跳线的长度不应大于5m。

3.7.9 工业环境布线系统干线子系统设计应符合下列规定：

　　1 干线子系统信道连接方式及链路长度计算应符合本规范第3.3.3条第2款的规定。

　　2 对绞电缆的干线子系统可采用D、E、E_A、F、F_A的布线等级。干线子系统信道长度不应大于100m，存在4个连接点时长度不应小于15m。

　　3 光纤信道的等级及长度应符合表3.7.9的规定。

表3.7.9 光纤信道长度

光纤类型	光纤等级	波长(nm)	650	850	1300	1310	1550
OP1 塑料光纤	OF-25、OF-50	双工连接	8.3	—	—		
		接续	—	—	—		
OP2 塑料光纤	OF-100、OF-200	双工连接	15.0	46.0	46.0		
		接续					
OH1 复合塑料光纤	OF-100、OF-200	双工连接	—	150.0	150.0		
		接续					
OM1、OM2、OM3、OM4 多模光纤	OF-300、OF-500、OF-2000	双工连接	—	214.0	500.0		
		接续		86.0	200.0		
OS1 单模光纤	OF-300、OF-500、OF-2000	双工连接				750.0	750.0
		接续				300.0	300.0
OS2 单模光纤	OF-300、OF-500、OF-2000、OF-5000、OF-10000	双工连接				1875.0	1875.0

3.8 综合布线在弱电系统中的应用

3.8.1 综合布线系统应支持具有TCP/IP通信协议的视频安防

监控系统、出入口控制系统、停车库(场)管理系统、访客对讲系统、智能卡应用系统、建筑设备管理系统、能耗计量及数据远传系统、公共广播系统、信息导引(标识)及发布系统等弱电系统的信息传输。

3.8.2 综合布线系统支持弱电各子系统应用时,应满足各子系统提出的下列条件:

  1 传输带宽与传输速率;

  2 缆线的应用传输距离;

  3 设备的接口类型;

  4 屏蔽与非屏蔽电缆及光缆布线系统的选择条件;

  5 以太网供电(POE)的供电方式及供电线对实际承载的电流与功耗;

  6 各弱电子系统设备安装的位置、场地面积和工艺要求。

4 光纤到用户单元通信设施

4.1 一般规定

4.1.1 在公用电信网络已实现光纤传输的地区,建筑物内设置用户单元时,通信设施工程必须采用光纤到用户单元的方式建设。

4.1.2 光纤到用户单元通信设施工程的设计必须满足多家电信业务经营者平等接入、用户单元内的通信业务使用者可自由选择电信业务经营者的要求。

4.1.3 新建光纤到用户单元通信设施工程的地下通信管道、配线管网、电信间、设备间等通信设施,必须与建筑工程同步建设。

4.1.4 用户接入点应是光纤到用户单元工程特定的一个逻辑点,设置应符合下列规定:

    1 每一个光纤配线区应设置一个用户接入点;

    2 用户光缆和配线光缆应在用户接入点进行互联;

    3 只有在用户接入点处可进行配线管理;

    4 用户接入点处可设置光分路器。

4.1.5 通信设施工程建设应以用户接入点为界面,电信业务经营者和建筑物建设方各自承担相关的工程量。工程实施应符合下列规定:

    1 规划红线范围内建筑群通信管道及建筑物内的配线管网应由建筑物建设方负责建设。

    2 建筑群及建筑物内通信设施的安装空间及房屋(设备间)应由建筑物建设方负责提供。

    3 用户接入点设置的配线设备建设分工应符合下列规定:

        1)电信业务经营者和建筑物建设方共用配线箱时,由建设方提供箱体并安装,箱体内连接配线光缆的配线模块应由电信业务经营者提供并安装,连接用户光缆的配线模块应由建筑物建设方提供并安装；

　　　　2）电信业务经营者和建筑物建设方分别设置配线柜时，应各自负责机柜及机柜内光纤配线模块的安装。

　　4 配线光缆应由电信业务经营者负责建设，用户光缆应由建筑物建设方负责建设，光跳线应由电信业务经营者安装。

　　5 光分路器及光网络单元应由电信业务经营者提供。

　　6 用户单元信息配线箱及光纤适配器应由建筑物建设方负责建设。

　　7 用户单元区域内的配线设备、信息插座、用户缆线应由单元内的用户或房屋建设方负责建设。

4.1.6 地下通信管道的设计应与建筑群及园区其他设施的地下管线进行整体布局，并应符合下列规定：

　　1 应与光交接箱引上管相衔接。

　　2 应与公用通信网管道互通的人(手)孔相衔接。

　　3 应与电力管、热力管、燃气管、给排水管保持安全的距离。

　　4 应避开易受到强烈震动的地段。

　　5 应敷设在良好的地基上。

　　6 路由宜以建筑群设备间为中心向外辐射，应选择在人行道、人行道旁绿化带或车行道下。

　　7 地下通信管道的设计应符合现行国家标准《通信管道与通道工程设计规范》GB 50373 的有关规定。

4.2 用户接入点设置

4.2.1 每一个光纤配线区所辖用户数量宜为 70 个～300 个用户单元。

4.2.2 光纤用户接入点的设置地点应依据不同类型的建筑形成的配线区以及所辖的用户密度和数量确定，并应符合下列规定：

　　1 当单栋建筑物作为 1 个独立配线区时，用户接入点应设于本建筑物综合布线系统设备间或通信机房内，但电信业务经营者应有独立的设备安装空间(图 4.2.2-1)。

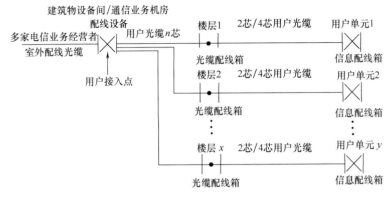

图 4.2.2-1 用户接入点设于单栋建筑物内设备间

2 当大型建筑物或超高层建筑物划分为多个光纤配线区时,用户接入点应按照用户单元的分布情况均匀地设于建筑物不同区域的楼层设备间内(图 4.2.2-2)。

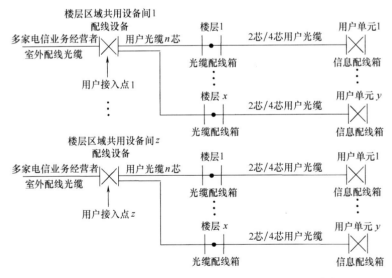

图 4.2.2-2 用户接入点设于建筑物楼层区域共用设备间

3 当多栋建筑物形成的建筑群组成 1 个配线区时,用户接入点应设于建筑群物业管理中心机房、综合布线设备间或通信机房内,但电信业务经营者应有独立的设备安装空间(图 4.2.2-3)。

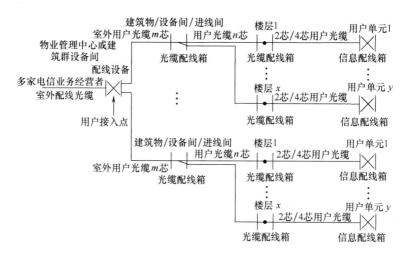

图 4.2.2-3 用户接入点设于建筑群物业管理中心机房
或综合布线设备间或通信机房

4 每一栋建筑物形成的 1 个光纤配线区并且用户单元数量不大于 30 个(高配置)或 70 个(低配置)时,用户接入点应设于建筑物的进线间或综合布线设备间或通信机房内,用户接入点应采用设置共用光缆配线箱的方式,但电信业务经营者应有独立的设备安装空间(图 4.2.2-4)。

4.3 配置原则

4.3.1 建筑红线范围内敷设配线光缆所需的室外通信管道管孔与室内管槽的容量、用户接入点处预留的配线设备安装空间及设备间的面积均应满足不少于 3 家电信业务经营者通信业务接入的需要。

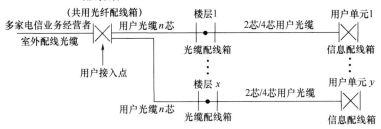

图 4.2.2-4 用户接入点设于进线间或综合布线设备间或通信机房

4.3.2 光纤到用户单元所需的室外通信管道与室内配线管网的导管与槽盒应单独设置，管槽的总容量与类型应根据光缆敷设方式及终期容量确定，并应符合下列规定：

1 地下通信管道的管孔应根据敷设的光缆种类及数量选用，宜选用单孔管、单孔管内穿放子管及栅格式塑料管。

2 每一条光缆应单独占用多孔管中的一个管孔或单孔管内的一个子管。

3 地下通信管道宜预留不少于3个备用管孔。

4 配线管网导管与槽盒尺寸应满足敷设的配线光缆与用户光缆数量及管槽利用率的要求。

4.3.3 用户光缆采用的类型与光纤芯数应根据光缆敷设的位置、方式及所辖用户数计算，并应符合下列规定：

1 用户接入点至用户单元信息配线箱的光缆光纤芯数应根据用户单元用户对通信业务的需求及配置等级确定，配置应符合表4.3.3的规定。

表 4.3.3 光纤与光缆配置

配置	光纤(芯)	光缆(根)	备注
高配置	2	2	考虑光纤与光缆的备份
低配置	2	1	考虑光纤的备份

2 楼层光缆配线箱至用户单元信息配线箱之间应采用2芯

光缆。

  3 用户接入点配线设备至楼层光缆配线箱之间应采用单根多芯光缆,光纤容量应满足用户光缆总容量需要,并应根据光缆的规格预留不少于10%的余量。

4.3.4 用户接入点外侧光纤模块类型与容量应按引入建筑物的配线光缆的类型及光缆的光纤芯数配置。

4.3.5 用户接入点用户侧光纤模块类型与容量应按用户光缆的类型及光缆的光纤芯数的50%或工程实际需要配置。

4.3.6 设备间面积不应小于$10m^2$。

4.3.7 每一个用户单元区域内应设置1个信息配线箱,并应安装在柱子或承重墙上不被变更的建筑物部位。

4.4 缆线与配线设备的选择

4.4.1 光缆光纤选择应符合下列规定:

  1 用户接入点至楼层光纤配线箱(分纤箱)之间的室内用户光缆应采用 G.652 光纤。

  2 楼层光缆配线箱(分纤箱)至用户单元信息配线箱之间的室内用户光缆应采用 G.657 光纤。

4.4.2 室内外光缆选择应符合下列规定:

  1 室内光缆宜采用干式、非延燃外护层结构的光缆。

  2 室外管道至室内的光缆宜采用干式、防潮层、非延燃外护层结构的室内外用光缆。

4.4.3 光纤连接器件宜采用 SC 和 LC 类型。

4.4.4 用户接入点应采用机柜或共用光缆配线箱,配置应符合下列规定:

  1 机柜宜采用 600mm 或 800mm 宽的 19″标准机柜。

  2 共用光缆配线箱体应满足不少于 144 芯光纤的终接。

4.4.5 用户单元信息配线箱的配置应符合下列规定:

  1 配线箱应根据用户单元区域内信息点数量、引入缆线类型、缆线数量、业务功能需求选用。

2 配线箱箱体尺寸应充分满足各种信息通信设备摆放、配线模块安装、光缆终接与盘留、跳线连接、电源设备和接地端子板安装以及业务应用发展的需要。

3 配线箱的选用和安装位置应满足室内用户无线信号覆盖的需求。

4 当超过 50V 的交流电压接入箱体内电源插座时,应采取强弱电安全隔离措施。

5 配线箱内应设置接地端子板,并应与楼层局部等电位端子板连接。

4.5 传 输 指 标

4.5.1 用户接入点用户侧配线设备至用户单元信息配线箱的光纤链路全程衰减限值可按下式计算:

$$\beta = \alpha_f L_{max} + (N+2)\alpha_j \qquad (4.5.1)$$

式中:β ——用户接入点用户侧配线设备至用户单元信息配线箱光纤链路衰减(dB);

α_f ——光纤衰减常数(dB/km),在 1310nm 波长窗口时,采用 G.652 光纤时为 0.36dB/km,采用 G.657 光纤时为 0.38dB/km~0.4dB/km;

L_{max} ——用户接入点用户侧配线设备至用户单元信息配线箱光纤链路最大长度(km);

N ——用户接入点用户侧配线设备至用户单元信息配线箱光纤链路中熔接的接头数量;

2 ——光纤链路光纤终接数(用户光缆两端);

α_j ——光纤接头损耗系数,采用热熔接方式时为 0.06dB/个,采用冷接方式时为 0.1dB/个。

5 系统配置设计

5.1 工 作 区

5.1.1 工作区适配器的选用应符合下列规定：

1 设备的连接插座应与连接电缆的插头匹配,不同的插座与插头之间互通时应加装适配器。

2 在连接使用信号的数模转换、光电转换、数据传输速率转换等相应的装置时,应采用适配器。

3 对于网络规程的兼容,应采用协议转换适配器。

4 各种不同的终端设备或适配器均应安装在工作区的适当位置,并应考虑现场的电源与接地。

5.1.2 每个工作区的服务面积应按不同的应用功能确定。

5.2 配线子系统

5.2.1 配线子系统应根据工程提出的近期和远期终端设备的设置要求、用户性质、网络构成及实际需要确定建筑物各层需要安装信息插座模块的数量及其位置,配线应留有发展余地。

5.2.2 配线子系统水平缆线采用的非屏蔽或屏蔽4对对绞电缆、室内光缆应与各工作区光、电信息插座类型相适应。

5.2.3 电信间FD(设备间BD、进线间CD)处,通信缆线和计算机网络设备与配线设备之间的连接方式应符合下列规定：

1 在FD、BD、CD处,电话交换系统配线设备模块之间宜采用跳线互连(图5.2.3-1)。

2 计算机网络设备与配线设备的连接方式应符合下列规定：

    1)在FD、BD、CD处,计算机网络设备与配线设备模块之间宜经跳线交叉连接(图5.2.3-2)。

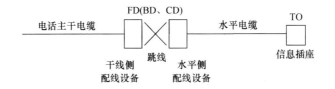

图 5.2.3-1 电话交换系统中缆线与配线设备间连接方式

图 5.2.3-2 交叉连接方式

2）在 FD、BD、CD 处，计算机网络设备与配线设备模块之间可经设备缆线互连（图 5.2.3-3）。

图 5.2.3-3 互连方式

5.2.4 每一个工作区信息插座模块数量不宜少于 2 个，并应满足各种业务的需求。

5.2.5 底盒数量应由插座盒面板设置的开口数确定，并应符合下列规定：

　　1 每一个底盒支持安装的信息点（RJ45 模块或光纤适配器）数量不宜大于 2 个。

　　2 光纤信息插座模块安装的底盒大小与深度应充分考虑到水平光缆（2 芯或 4 芯）终接处的光缆预留长度的盘留空间和满足光缆对弯曲半径的要求。

　　3 信息插座底盒不应作为过线盒使用。

5.2.6 工作区的信息插座模块应支持不同的终端设备接入，每一个 8 位模块通用插座应连接 1 根 4 对对绞电缆；每一个双工或 2 个单工光纤连接器件及适配器应连接 1 根 2 芯光缆。

5.2.7 从电信间至每一个工作区的水平光缆宜按 2 芯光缆配置。至用户群或大客户使用的工作区域时，备份光纤芯数不应小于 2 芯，水平光缆宜按 4 芯或 2 根 2 芯光缆配置。

5.2.8 连接至电信间的每一根水平缆线均应终接于 FD 处相应的配线模块，配线模块与缆线容量相适应。

5.2.9 电信间 FD 主干侧各类配线模块应根据主干缆线所需容量要求、管理方式及模块类型和规格进行配置。

5.2.10 电信间 FD 采用的设备缆线和各类跳线宜根据计算机网络设备的使用端口容量和电话交换系统的实装容量、业务的实际需求或信息点总数的比例进行配置，比例范围宜为 25%～50%。

5.3 干线子系统

5.3.1 干线子系统所需要的对绞电缆根数、大对数电缆总对数及光缆光纤总芯数，应满足工程的实际需求与缆线的规格，并应留有备份容量。

5.3.2 干线子系统主干缆线宜设置电缆或光缆备份及电缆与光缆互为备份的路由。

5.3.3 当电话交换机和计算机设备设置在建筑物内不同的设备间时，宜采用不同的主干缆线来分别满足语音和数据的需要。

5.3.4 在建筑物若干设备间之间，设备间与进线间及同一层或各层电信间之间宜设置干线路由。

5.3.5 主干电缆和光缆所需的容量要求及配置应符合下列规定：

　　1 对语音业务，大对数主干电缆的对数应按每 1 个电话 8 位模块通用插座配置 1 对线，并应在总需求线对的基础上预留不小于 10% 的备用线对。

　　2 对数据业务，应按每台以太网交换机设置 1 个主干端口和 1 个备份端口配置。当主干端口为电接口时，应按 4 对线对容量配置,当主干端口为光端口时,应按1芯或2芯光纤容量配置。

  3 当工作区至电信间的水平光缆需延伸至设备间的光配线设备(BD/CD)时,主干光缆的容量应包括所延伸的水平光缆光纤的容量。

  4 建筑物配线设备处各类设备缆线和跳线的配置应符合本规范第5.2.10条的规定。

5.3.6 设备间配线设备(BD)所需的容量要求及配置应符合下列规定:

  1 主干缆线侧的配线设备容量应与主干缆线的容量相一致。

  2 设备侧的配线设备容量应与设备应用的光、电主干端口容量相一致或与干线侧配线设备容量相同。

  3 外线侧的配线设备容量应满足引入缆线的容量需求。

5.4 建筑群子系统

5.4.1 建筑群配线设备(CD)内线侧的容量应与各建筑物引入的建筑群主干缆线容量一致。

5.4.2 建筑群配线设备(CD)外线侧的容量应与建筑群外部引入的缆线的容量一致。

5.4.3 建筑群配线设备各类设备缆线和跳线的配置应符合本规范第5.2.10条的规定。

5.5 入 口 设 施

5.5.1 建筑群主干电缆和光缆、公用网和专用网电缆、光缆等室外缆线进入建筑物时,应在进线间由器件成端转换成室内电缆、光缆。缆线的终接处设置的入口设施外线侧配线模块应按出入的电、光缆容量配置。

5.5.2 综合布线系统和电信业务经营者设置的入口设施内线侧配线模块应与建筑物配线设备(BD)或建筑群配线设备(CD)之间敷设的缆线类型和容量相匹配。

5.5.3 进线间的缆线引入管道管孔数量应满足建筑物之间、外部接入各类信息通信业务、建筑智能化业务及多家电信业务经营者缆线接入的需求，并应留有不少于4孔的余量。

5.6 管理系统

5.6.1 对设备间、电信间、进线间和工作区的配线设备、缆线、信息点等设施，应按一定的模式进行标识和记录，并应符合下列规定：

　　1 综合布线系统工程宜采用计算机进行文档记录与保存，简单且规模较小的综合布线系统工程可按图纸资料等纸质文档进行管理。文档应做到记录准确、及时更新、便于查阅，文档资料应实现汉化。

　　2 综合布线的每一电缆、光缆、配线设备、终接点、接地装置、管线等组成部分均应给定唯一的标识符，并应设置标签。标识符应采用统一数量的字母和数字等标明。

　　3 电缆和光缆的两端均应标明相同的标识符。

　　4 设备间、电信间、进线间的配线设备宜采用统一的色标区别各类业务与用途的配线区。

　　5 综合布线系统工程应制订系统测试的记录文档内容。

5.6.2 所有标签应保持清晰，并应满足使用环境要求。

5.6.3 综合布线系统工程规模较大以及用户有提高布线系统维护水平和网络安全的需要时，宜采用智能配线系统对配线设备的端口进行实时管理，显示和记录配线设备的连接、使用及变更状况。并应具备下列基本功能：

　　1 实时智能管理与监测布线跳线连接通断及端口变更状态；

　　2 以图形化显示为界面，浏览所有被管理的布线部位；

　　3 管理软件提供数据库检索功能；

　　4 用户远程登录对系统进行远程管理；

　　5 管理软件对非授权操作或链路意外中断提供实时报警。

5.6.4 综合布线系统相关设施的工作状态信息应包括设备和缆线的用途、使用部门、组成局域网的拓扑结构、传输信息速率、终端设备配置状况、占用器件编号、色标、链路与信道的功能和各项主要指标参数及完好状况、故障记录等信息,还应包括设备位置和缆线走向等内容。

6 性能指标

6.1 缆线与连接器件性能指标

6.1.1 D级、E级、F级的对绞电缆布线信道器件的标称阻抗应为100Ω，A级、B级、C级可为100Ω或120Ω。

6.1.2 对绞电缆基本电气特性应符合下列规定：

1 信道每个线对中的两个导体之间的d.c.环路电阻不平衡度对所有类别不应超过3%。

2 电缆在所有的温度下应用时，D、E、E_A、F、F_A级信道每一导体最小载流量应为0.175A(d.c.)。

3 布线系统在工作环境温度下，D、E、E_A、F、F_A级信道应支持任意导体之间72V(d.c.)的工作电压。

4 布线系统在工作环境温度下，D、E、E_A、F、F_A级信道每个线对应支持承载10W的功率。

5 对绞电缆的性能指标参数应包括衰减、等电平远端串音衰减、等电平远端串音衰减功率和、衰减远端串音比、衰减远端串音比功率和、耦合衰减、转移阻抗、不平衡衰减（近端）、近端串音功率和、外部串音（E_A、F_A）。

6 2m、5m对绞电缆跳线的指标参数值应包括回波损耗、近端串音。

6.1.3 对绞电缆连接器件基本电气特性应符合下列规定：

1 配线设备模块工作环境的温度应为－10℃～＋60℃。

2 应具有唯一的标记或颜色。

3 连接器件应支持0.4mm～0.8mm线径导体的连接。

4 连接器件的插拔率不应小于500次。

5 器件连接应符合下列规定：

1) RJ45 8位模块通用插座可按568A或568B的方式进行连接(图6.1.3-1)。

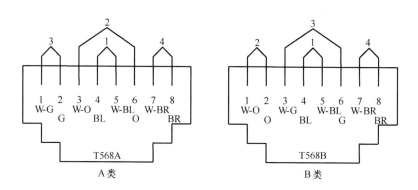

图6.1.3-1 8位模块式通用插座连接
注:G(Green)—绿;BL(Blue)—蓝;
BR(Brown)—棕;W(White)—白;O(Orange)—橙

2) 4对对绞电缆与非RJ45模块终接时,应按线序号和组成的线对进行卡接(图6.1.3-2、图6.1.3-3)。

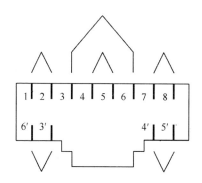

图6.1.3-2 7类和7_A类模块插座连接(正视)方式1

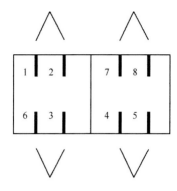

图 6.1.3-3　7 类和 7_A 类插座连接(正视)方式 2

6 连接器件的性能指标参数应包括回波损耗、插入损耗、近端串音、近端串音功率和、远端串音、远端串音功率和、输入阻抗、不平衡输入阻抗、载流量、时延、时延偏差、横向转换损耗、横向转换转移损耗、耦合衰减(屏蔽布线)、转移阻抗(屏蔽布线)、绝缘电阻、外部近端串音功率和、外部远端串音功率和。

6.2 系统性能指标

6.2.1 对绞电缆布线系统永久链路、CP 链路及信道的回波损耗、插入损耗、近端串音、近端串音功率和、衰减远端串音比、衰减远端串音比功率和、衰减近端串音比、衰减近端串音比功率和、直流环路电阻、时延、时延偏差、外部近端串音功率和、外部远端串音比功率和等性能指标参数的规定值应符合本规范附录 A 的规定。

6.2.2 在工程的安装设计中应考虑综合布线系统产品的缆线结构、直径、材料、承受拉力、弯曲半径等机械性能指标。

6.2.3 光纤布线系统 OF-300、OF-500、OF-2000 各等级的光纤信道衰减值应符合本规范附录 A 的规定。

6.2.4 工业环境布线系统性能指标应符合下列规定：

1 电缆布线系统的性能指标应包括回波衰耗、插入损耗、近端串音、近端串音功率和、衰减串音比、衰减串音比功率和、等电平远端串音衰减、等电平远端串音衰减功率和、传播时延、时延偏差、直流环路电阻、长度、连接正确性、导通性能。

  2 光纤布线系统的性能指标应包括光衰耗、模式带宽、传播时延、长度、连接极性。

6.2.5 对绞电缆布线系统应用在工业以太网、POE 及高速信道的情况下，还应考虑横向转换损耗、两端等效横向转换损耗、不平衡电阻、耦合衰减等屏蔽特性指标。

7 安装工艺要求

7.1 工 作 区

7.1.1 工作区信息插座的安装应符合下列规定：

1 暗装在地面上的信息插座盒应满足防水和抗压要求。

2 工业环境中的信息插座可带有保护壳体。

3 暗装或明装在墙体或柱子上的信息插座盒底距地高度宜为300mm。

4 安装在工作台侧隔板面及临近墙面上的信息插座盒底距地宜为1.0m。

5 信息插座模块宜采用标准86系列面板安装，安装光纤模块的底盒深度不应小于60mm。

7.1.2 工作区的电源应符合下列规定：

1 每个工作区宜配置不少于2个单相交流220V/10A电源插座盒。

2 电源插座应选用带保护接地的单相电源插座。

3 工作区电源插座宜嵌墙暗装，高度应与信息插座一致。

7.1.3 CP集合点箱体、多用户信息插座箱体宜安装在导管的引入侧及便于维护的柱子及承重墙上等处，箱体底边距地高度宜为500mm，当在墙体、柱子的上部或吊顶内安装时，距地高度不宜小于1800mm。

7.1.4 每个用户单元信息配线箱附近水平70mm～150mm处，宜预留设置2个单相交流220V/10A电源插座，并应符合下列规定：

1 每个电源插座的配电线路均应装设保护电器，电源插座宜嵌墙暗装，底部距地高度应与信息配线箱一致。

2 用户单元信息配线箱内应引入单相交流220V电源。

7.2 电信间

7.2.1 电信间的设计应符合下列规定：

1 电信间数量应按所服务楼层面积及工作区信息点密度与数量确定。

2 同楼层信息点数量不大于400个时，宜设置1个电信间；当楼层信息点数量大于400个时，宜设置2个及以上电信间。

3 楼层信息点数量较少，且水平缆线长度在90m范围内时，可多个楼层合设一个电信间。

7.2.2 当有信息安全等特殊要求时，应将所有涉密的信息通信网络设备和布线系统设备等进行空间物理隔离或独立安放在专用的电信间内，并应设置独立的涉密机柜及布线管槽。

7.2.3 电信间内，信息通信网络系统设备及布线系统设备宜与弱电系统布线设备分设在不同的机柜内。当各设备容量配置较少时，亦可在同一机柜内作空间物理隔离后安装。

7.2.4 各楼层电信间、竖向缆线管槽及对应的竖井宜上下对齐。

7.2.5 电信间内不应设置与安装的设备无关的水、风管及低压配电缆线管槽与竖井。

7.2.6 根据工程中配线设备与以太网交换机设备的数量、机柜的尺寸及布置，电信间的使用面积不应小于 $5m^2$。当电信间内需设置其他通信设施和弱电系统设备箱柜或弱电竖井时，应增加使用面积。

7.2.7 电信间室内温度应保持在10℃～35℃，相对湿度应保持在20%～80%之间。当房间内安装有源设备时，应采取满足信息通信设备可靠运行要求的对应措施。

7.2.8 电信间应采用外开防火门，房门的防火等级应按建筑物等级类别设定。房门的高度不应小于2.0m，净宽不应小于0.9m。

7.2.9 电信间内梁下净高不应小于2.5m。

7.2.10 电信间的水泥地面应高出本层地面不小于 100mm 或设置防水门槛。室内地面应具有防潮、防尘、防静电等措施。

7.2.11 电信间应设置不少于 2 个单相交流 220V/10A 电源插座盒，每个电源插座的配电线路均应装设保护器。设备供电电源应另行配置。

7.3 设 备 间

7.3.1 设备间设置的位置应根据设备的数量、规模、网络构成等因素综合考虑。

7.3.2 每栋建筑物内应设置不小于 1 个设备间，并应符合下列规定：

1 当电话交换机与计算机网络设备分别安装在不同的场地、有安全要求或有不同业务应用需要时，可设置 2 个或 2 个以上配线专用的设备间。

2 当综合布线系统设备间与建筑内信息接入机房、信息网络机房、用户电话交换机房、智能化总控室等合设时，房屋使用空间应作分隔。

7.3.3 设备间内的空间应满足布线系统配线设备的安装需要，其使用面积不应小于 $10m^2$。当设备间内需安装其他信息通信系统设备机柜或光纤到用户单元通信设施机柜时，应增加使用面积。

7.3.4 设备间的设计应符合下列规定：

1 设备间宜处于干线子系统的中间位置，并应考虑主干缆线的传输距离、敷设路由与数量。

2 设备间宜靠近建筑物布放主干缆线的竖井位置。

3 设备间宜设置在建筑物的首层或楼上层。当地下室为多层时，也可设置在地下一层。

4 设备间应远离供电变压器、发动机和发电机、X 射线设备、无线射频或雷达发射机等设备以及有电磁干扰源存在的场所。

5 设备间应远离粉尘、油烟、有害气体以及存有腐蚀性、易燃、易爆物品的场所。

　　6　设备间不应设置在厕所、浴室或其他潮湿、易积水区域的正下方或毗邻场所。

　　7　设备间室内温度应保持在10℃～35℃，相对湿度应保持在20%～80%之间，并应有良好的通风。当室内安装有源的信息通信网络设备时，应采取满足设备可靠运行要求的对应措施。

　　8　设备间内梁下净高不应小于2.5m。

　　9　设备间应采用外开双扇防火门。房门净高不应小于2.0m，净宽不应小于1.5m。

　　10　设备间的水泥地面应高出本层地面不小于100mm或设置防水门槛。

　　11　室内地面应具有防潮措施。

7.3.5　设备间应防止有害气体侵入，并应有良好的防尘措施，尘埃含量限值宜符合表7.3.5的规定。

表7.3.5　尘埃限值

尘埃颗粒的最大直径(μm)	0.5	1	3	5
灰尘颗粒的最大浓度(粒子数/m³)	1.4×10^7	7×10^5	2.4×10^5	1.3×10^5

7.3.6　设备间应设置不少于2个单相交流220V/10A电源插座盒，每个电源插座的配电线路均应装设保护器。设备供电电源应另行配置。

7.4　进　线　间

7.4.1　进线间内应设置管道入口，入口的尺寸应满足不少于3家电信业务经营者通信业务接入及建筑群布线系统和其他弱电子系统的引入管道管孔容量的需求。

7.4.2　在单栋建筑物或由连体的多栋建筑物构成的建筑群体内应设置不少于1个进线间。

7.4.3　进线间应满足室外引入缆线的敷设与成端位置及数量、缆线的盘长空间和缆线的弯曲半径等要求，并应提供安装综合布线系统及不少于3家电信业务经营者入口设施的使用空间及面积。进线间面积不宜小于10m²。

7.4.4 进线间宜设置在建筑物地下一层临近外墙、便于管线引入的位置，其设计应符合下列规定：

 1 管道入口位置应与引入管道高度相对应。

 2 进线间应防止渗水，宜在室内设置排水地沟并与附近设有抽排水装置的集水坑相连。

 3 进线间应与电信业务经营者的通信机房、建筑物内配线系统设备间、信息接入机房、信息网络机房、用户电话交换机房、智能化总控室等及垂直弱电竖井之间设置互通的管槽。

 4 进线间应采用相应防火级别的外开防火门，门净高不应小于2.0m，净宽不应小于0.9m。

 5 进线间宜采用轴流式通风机通风，排风量应按每小时不小于5次换气次数计算。

7.4.5 与进线间安装的设备无关的管道不应在室内通过。

7.4.6 进线间安装信息通信系统设施应符合设备安装设计的要求。

7.4.7 综合布线系统进线间不应与数据中心使用的进线间合设，建筑物内各进线间之间应设置互通的管槽。

7.4.8 进线间应设置不少于2个单相交流220V/10A电源插座盒，每个电源插座的配电线路均应装设保护器。设备供电电源应另行配置。

7.5 导管与桥架安装

7.5.1 布线导管或桥架的材质、性能、规格以及安装方式的选择应考虑敷设场所的温度、湿度、腐蚀性、污染以及自身耐水性、耐火性、承重、抗挠、抗冲击等因素对布线的影响，并应符合安装要求。

7.5.2 缆线敷设在建筑物的吊顶内时，应采用金属导管或槽盒。

7.5.3 布线导管或槽盒在穿越防火分区楼板、墙壁、天花板、隔墙等建筑构件时,其空隙或空闲的部位应按等同于建筑构件耐火等级的规定封堵。塑料导管或槽盒及附件的材质应符合相应阻燃等级的要求。

7.5.4 布线导管或桥架在穿越建筑结构伸缩缝、沉降缝、抗震缝时,应采取补偿措施。

7.5.5 布线导管或槽盒暗敷设于楼板时不应穿越机电设备基础。

7.5.6 暗敷设在钢筋混凝土现浇楼板内的布线导管或槽盒最大外径宜为楼板厚的1/4~1/3。

7.5.7 建筑物室外引入管道设计应符合建筑结构地下室外墙的防水要求。引入管道应采用热浸镀锌厚壁钢管,外径50mm~63.5mm钢管的壁厚度不应小于3mm,外径76mm~114mm钢管的壁厚度不应小于4mm。

7.5.8 建筑物内采用导管敷设缆线时,导管选用应符合下列规定:

1 线路明敷设时,应采用金属管、可挠金属电气导管保护。

2 建筑物内暗敷设时,应采用金属管、可弯曲金属电气导管等保护。

3 导管在地下室各层楼板或潮湿场所敷设时,不应采用壁厚小于2.0mm的热镀锌钢管或重型包塑可弯曲金属导管。

4 导管在二层底板及以上各层钢筋混凝土楼板和墙体内敷设时,可采用壁厚不小于1.5mm的热镀锌钢导管或可弯曲金属导管。

5 在多层建筑砖墙或混凝土墙内竖向暗敷导管时,导管外径不应大于50mm。

6 由楼层水平金属槽盒引入每个用户单元信息配线箱或过路箱的导管,宜采用外径20mm~25mm钢导管。

7 楼层弱电间(电信间)或弱电竖井内钢筋混凝土楼板上,应按竖向导管的根数及规格预留楼板孔洞或预埋外径不小于89mm的竖向金属套管群。

8 导管的连接宜采用专用附件。

7.5.9 槽盒的直线连接、转角、分支及终端处宜采用专用附件连接。

7.5.10 在明装槽盒的路由中设置吊架或支架,宜设置在下列位置:

1 直线段不大于3m及接头处;

2 首尾端及进出接线盒0.5m处;

3 转角处。

7.5.11 布线路由中每根暗管的转弯角不应多于2个,且弯曲角度应大于90°。

7.5.12 过线盒宜设置于导管或槽盒的直线部分,并宜设置在下列位置:

1 槽盒或导管的直线路由每30m处;

2 有1个转弯,导管长度大于20m时;

3 有2个转弯,导管长度不超过15m时;

4 路由中有反向(U形)弯曲的位置。

7.5.13 导管管口伸出地面部分应为25mm～50mm。

7.6 缆线布放

7.6.1 建筑物内缆线的敷设方式应根据建筑物构造、环境特征、使用要求、需求分布以及所选用导体与缆线的类型、外形尺寸及结构等因素综合确定,并应符合下列规定:

1 水平缆线敷设时,应采用导管、桥架的方式,并应符合下列规定:

1)从槽盒、托盘引出至信息插座,可采用金属导管敷设;

2)吊顶内宜采用金属托盘、槽盒的方式敷设;

3)吊顶或地板下缆线引入至办公家具桌面宜采用垂直槽盒方式及利用家具内管槽敷设;

4)墙体内应采用穿导管方式敷设;

5）大开间地面布放缆线时,根据环境条件宜选用架空地板下或网络地板内的托盘、槽盒方式敷设。

　2　干线子系统垂直通道宜选用穿楼板电缆孔、导管或桥架、电缆竖井三种方式敷设。

7.6.2　建筑群之间的缆线宜采用地下管道或电缆沟方式敷设。

7.6.3　明敷缆线应符合室内或室外敷设场所环境特征要求,并应符合下列规定:

　1　采用线卡沿墙体、顶棚、建筑物构件表面或家具上直接敷设,固定间距不宜大于1m。

　2　缆线不应直接敷设于建筑物的顶棚内、顶棚抹灰层、墙体保温层及装饰板内。

　3　明敷缆线与其他管线交叉贴邻时,应按防护要求采取保护隔离措施。

　4　敷设在易受机械损伤的场所时,应采用钢管保护。

7.6.4　综合布线系统管线的弯曲半径应符合表7.6.4的规定。

表7.6.4　管线敷设弯曲半径

缆 线 类 型	弯 曲 半 径
2芯或4芯水平光缆	>25mm
其他芯数和主干光缆	不小于光缆外径的10倍
4对屏蔽、非屏蔽电缆	不小于电缆外径的4倍
大对数主干电缆	不小于电缆外径的10倍
室外光缆、电缆	不小于缆线外径的10倍

注:当缆线采用电缆桥架布放时,桥架内侧的弯曲半径不应小于300mm。

7.6.5　缆线布放在导管与槽盒内的管径与截面利用率应符合下列规定:

　1　管径利用率和截面利用率应按下列公式计算:

$$管径利用率 = d/D \quad (7.6.5\text{-}1)$$

式中:d——缆线外径;

　　　D——管道内径。

$$截面利用率 = A_1/A \qquad (7.6.5-2)$$

式中：A_1——穿在管内的缆线总截面积；

A——管径的内截面积。

2 弯导管的管径利用率应为 40%～50%。

3 导管内穿放大对数电缆或 4 芯以上光缆时，直线管路的管径利用率应为 50%～60%。

4 导管内穿放 4 对对绞电缆或 4 芯及以下光缆时，截面利用率应为 25%～30%。

5 槽盒内的截面利用率应为 30%～50%。

7.6.6 用户光缆敷设与接续应符合下列规定：

1 用户光缆光纤接续宜采用熔接方式。

2 在用户接入点配线设备及信息配线箱内宜采用熔接尾纤方式终接，不具备熔接条件时可采用现场组装光纤连接器件终接。

3 每一光纤链路中宜采用相同类型的光纤连接器件。

4 采用金属加强芯的光缆，金属构件应接地。

5 室内光缆预留长度应符合下列规定：

　　1）光缆在配线柜处预留长度应为 3m～5m；

　　2）光缆在楼层配线箱处光纤预留长度应为 1m～1.5m；

　　3）光缆在信息配线箱终接时预留长度不应小于 0.5m；

　　4）光缆纤芯不做终接时，应保留光缆施工预留长度。

6 光缆敷设安装的最小静态弯曲半径应符合表 7.6.6 的规定。

表 7.6.6 光缆敷设安装的最小静态弯曲半径

光 缆 类 型		静态弯曲半径
室内外光缆		$15D/15H$
微型自承式通信用室外光缆		$10D/10H$ 且不小于 30mm
管道入户光缆 蝶形引入光缆 室内布线光缆	G.652D 光纤	$10D/10H$ 且不小于 30mm
	G.657A 光纤	$5D/5H$ 且不小于 15mm
	G.657B 光纤	$5D/5H$ 且不小于 10mm

注：D 为缆芯处圆形护套外径，H 为缆芯处扁形护套短轴的高度。

7.6.7 缆线布放的路由中不应有连接点。

7.7 设备安装设计

7.7.1 综合布线系统宜采用标准19″机柜,安装应符合下列规定:

1 机柜数量规划应计算配线设备、网络设备、电源设备及理线等设施的占用空间,并考虑设备安装空间冗余和散热需要。

2 机柜单排安装时,前面净空不应小于1000mm,后面及机列侧面净空不应小于800mm;多排安装时,列间距不应小于1200mm。

7.7.2 在公共场所安装配线箱时,暗装箱体底边距地面不宜小于1.5m,明装式箱体底面距地面不宜小于1.8m。

7.7.3 机柜、机架、配线箱等设备的安装宜采用螺栓固定。在抗震设防地区,设备安装应采取减震措施,并应进行基础抗震加固。

8 电气防护及接地

8.0.1 综合布线电缆与附近可能产生高电平电磁干扰的电动机、电力变压器、射频应用设备等电器设备之间应保持间距，与电力电缆的间距应符合表 8.0.1 的规定。

表 8.0.1 综合布线电缆与电力电缆的间距（mm）

类 别	与综合布线接近状况	最小间距
380V 电力电缆＜2kV·A	与缆线平行敷设	130
	有一方在接地的金属槽盒或钢管中	70
	双方都在接地的金属槽盒或钢管中	10注
380V 电力电缆 2kV·A～5kV·A	与缆线平行敷设	300
	有一方在接地的金属槽盒或钢管中	150
	双方都在接地的金属槽盒或钢管中	80
380V 电力电缆＞5kV·A	与缆线平行敷设	600
	有一方在接地的金属槽盒或钢管中	300
	双方都在接地的金属槽盒或钢管中	150

注：双方都在接地的槽盒中，系指两个不同的线槽，也可在同一线槽中用金属板隔开，且平行长度不大于 10m。

8.0.2 室外墙上敷设的综合布线管线与其他管线的间距应符合表 8.0.2 的规定。

表 8.0.2 综合布线管线与其他管线的间距（mm）

其他管线	最小平行净距	最小垂直交叉净距
防雷专设引下线	1000	300
保护地线	50	20
给水管	150	20
压缩空气管	150	20
热力管（不包封）	500	500
热力管（包封）	300	300
燃气管	300	20

8.0.3 综合布线系统应远离高温和电磁干扰的场地,根据环境条件选用相应的缆线和配线设备或采取防护措施,并应符合下列规定:

1 当综合布线区域内存在的电磁干扰场强低于3V/m时,宜采用非屏蔽电缆和非屏蔽配线设备。

2 当综合布线区域内存在的电磁干扰场强高于3V/m,或用户对电磁兼容性有较高要求时,可采用屏蔽布线系统和光缆布线系统。

3 当综合布线路由上存在干扰源,且不能满足最小净距要求时,宜采用金属导管和金属槽盒敷设,或采用屏蔽布线系统及光缆布线系统。

4 当局部地段与电力线或其他管线接近,或接近电动机、电力变压器等干扰源,且不能满足最小净距要求时,可采用金属导管或金属槽盒等局部措施加以屏蔽处理。

8.0.4 在建筑物电信间、设备间、进线间及各楼层信息通信竖井内均应设置局部等电位联结端子板。

8.0.5 综合布线系统应采用建筑物共用接地的接地系统。当必须单独设置系统接地体时,其接地电阻不应大于4Ω。当布线系统的接地系统中存在两个不同的接地体时,其接地电位差不应大于1Vr.m.s。

8.0.6 配线柜接地端子板应采用两根不等长度,且截面不小于$6mm^2$的绝缘铜导线接至就近的等电位联结端子板。

8.0.7 屏蔽布线系统的屏蔽层应保持可靠连接、全程屏蔽,在屏蔽配线设备安装的位置应就近与等电位联结端子板可靠连接。

8.0.8 综合布线的电缆采用金属管槽敷设时,管槽应保持连续的电气连接,并应有不少于两点的良好接地。

8.0.9 当缆线从建筑物外引入建筑物时,电缆、光缆的金属护套或金属构件应在入口处就近与等电位联结端子板连接。

8.0.10 当电缆从建筑物外面进入建筑物时,应选用适配的信号线路浪涌保护器。

9 防 火

9.0.1 根据建筑物的防火等级对缆线燃烧性能的要求,综合布线系统在缆线选用、布放方式及安装场地等方面应采取相应的措施。

9.0.2 综合布线工程设计选用的电缆、光缆应从建筑物的高度、面积、功能、重要性等方面加以综合考虑,选用相应等级的阻燃缆线。

附录 A 系 统 指 标

A.0.1 综合布线系统工程设计中，100Ω 对绞电缆组成的永久链路或 CP 链路的各项指标值应符合下列规定：

1 在布线的两端均应符合回波损耗值的要求，布线系统永久链路的最小回波损耗值应符合表 A.0.1-1 的规定。

表 A.0.1-1 回波损耗(RL)值

频率 (MHz)	最小 RL 值(dB)					
	等 级					
	C	D	E	E_A	F	F_A
1	15.0	19.0	21.0	21.0	21.0	21.0
16	15.0	19.0	20.0	20.0	20.0	20.0
100	—	12.0	14.0	14.0	14.0	14.0
250	—	—	10.0	10.0	10.0	10.0
500	—	—	—	8.0	10.0	10.0
600	—	—	—	—	10.0	10.0
1000	—	—	—	—	—	8.0

2 布线系统永久链路的最大插入损耗(IL)值应符合表 A.0.1-2 的规定。

表 A.0.1-2 插入损耗(IL)值

频率 (MHz)	最大 IL 值(dB)							
	等 级							
	A	B	C	D	E	E_A	F	F_A
0.1	16.0	5.5	—	—	—	—	—	—
1	—	5.8	4.0	4.0	4.0	4.0	4.0	4.0
16	—	—	12.2	7.7	7.1	7.0	6.9	6.8
100	—	—	—	20.4	18.5	17.8	17.7	17.3
250	—	—	—	—	30.7	28.9	28.8	27.7
500	—	—	—	—	—	42.1	42.1	39.8
600	—	—	—	—	—	—	46.6	43.9
1000	—	—	—	—	—	—	—	57.6

3 线对与线对之间的近端串音(NEXT)在布线的两端均应符合 NEXT 值的要求,布线系统永久链路的近端串音值应符合表 A.0.1-3 的规定。

表 A.0.1-3 近端串音(NEXT)值

频率 (MHz)	最小 NEXT 值(dB) 等级							
	A	B	C	D	E	E_A	F	F_A
0.1	27.0	40.0	—	—	—	—	—	—
1	—	25.0	40.1	64.2	65.0	65.0	65.0	65.0
16	—	—	21.1	45.2	54.6	54.6	65.0	65.0
100	—	—	—	32.3	41.8	41.8	65.0	65.0
250	—	—	—	—	35.3	35.3	60.4	61.7
500	—	—	—	—	—	29.2 27.9①	55.9	56.1
600	—	—	—	—	—	—	54.7	54.7
1000	—	—	—	—	—	—	—	49.1 47.9①

注:①为有 CP 点存在的永久链路指标。

4 近端串音功率和(PS NEXT)在布线的两端均应符合 PS NEXT 值要求,布线系统永久链路的 PS NEXT 值应符合表 A.0.1-4 的规定。

表 A.0.1-4 近端串音功率和(PS NEXT)值

频率 (MHz)	最小 PS NEXT 值(dB) 等级				
	D	E	E_A	F	F_A
1	57.0	62.0	62.0	62.0	62.0
16	42.2	52.2	52.2	62.0	62.0
100	29.3	39.3	39.3	62.0	62.0
250	—	32.7	32.7	57.4	58.7
500	—	—	26.4 24.8①	52.9	53.1
600	—	—	—	51.7	51.7
1000	—	—	—	—	46.1 44.9①

注:①为有 CP 点存在的永久链路指标。

5 线对与线对之间的衰减近端串音比(ACR-N)在布线的两端均应符合 ACR-N 值要求,布线系统永久链路的 ACR-N 值应符合表 A.0.1-5 的规定。

表 A.0.1-5 衰减近端串音比(ACR-N)值

频率(MHz)	最小 ACR-N 值(dB)				
	等 级				
	D	E	E_A	F	F_A
1	60.2	61.0	61.0	61.0	61.0
16	37.5	47.5	47.6	58.1	58.2
100	11.9	23.3	24.0	47.3	47.7
250	—	4.7	6.4	31.6	34.0
500	—	—	−12.9 −14.2①	13.8	16.4
600	—	—	—	8.1	10.8
1000	—	—	—	—	−8.5 −9.7①

注:①为有 CP 点存在的永久链路指标。

6 布线系统永久链路的衰减近端串音比功率和(PS ACR-N)值应符合表 A.0.1-6 的规定。

表 A.0.1-6 衰减近端串音比功率和(PS ACR-N)值

频率(MHz)	最小 PS ACR-N 值(dB)				
	等 级				
	D	E	E_A	F	F_A
1	53.0	58.0	58.0	58.0	58.0
16	34.5	45.1	45.2	55.1	55.2
100	8.9	20.8	21.5	44.3	44.7
250	—	2.0	3.8	28.6	31.0
500	—	—	−15.7 −16.3①	10.8	13.4
600	—	—	—	5.1	7.8
1000	—	—	—	—	−11.5 −12.7①

注:①为有 CP 点存在的永久链路指标。

7 线对与线对之间的衰减远端串音比(ACR-F)在布线的两端均应符合 ACR-F 值要求,布线系统永久链路的 ACR-F 值应符合表 A.0.1-7 的规定。

表 A.0.1-7 衰减远端串音比(ACR-F)值

频率 (MHz)	最小 ACR-F 值(dB)				
	等 级				
	D	E	E_A	F	F_A
1	58.6	64.2	64.2	65.0	65.0
16	34.5	40.1	40.1	59.3	64.7
100	18.6	24.2	24.2	46.0	48.8
250	—	16.2	16.2	39.2	40.8
500	—	—	10.2	34.0	34.8
600	—	—	—	32.6	33.2
1000	—	—	—	—	28.8

8 布线系统永久链路的衰减远端串音比功率和(PS ACR-F)值应符合表 A.0.1-8 的规定。

表 A.0.1-8 衰减远端串音比功率和(PS ACR-F)值

频率 (MHz)	最小 PS ACR-F 值(dB)				
	等 级				
	D	E	E_A	F	F_A
1	55.6	61.2	61.2	62.0	62.0
16	31.5	37.1	37.1	56.3	61.7
100	15.6	21.2	21.2	43.0	45.8
250	—	13.2	13.2	36.2	37.8
500	—	—	7.2	31.0	31.8
600	—	—	—	29.6	30.2
1000	—	—	—	—	25.8

9 布线系统永久链路的直流环路电阻(d.c.)应符合表 A.0.1-9 的规定。

表 A.0.1-9 永久链路直流环路电阻

最大直流环路电阻(Ω)							
等 级							
A	B	C	D	E	E_A	F	F_A
530	140	34	21	21	21	21	21

10 布线系统永久链路的最大传播时延应符合表A.0.1-10的规定。

表A.0.1-10 传播时延

频率(MHz)	最大传播时延(μs) 等级							
	A	B	C	D	E	E_A	F	F_A
0.1	19.4	4.4	—	—	—	—	—	—
1	—	4.4	0.521	0.521	0.521	0.521	0.521	0.521
16	—	—	0.496	0.496	0.496	0.496	0.496	0.496
100	—	—	—	0.491	0.491	0.491	0.491	0.491
250	—	—	—	—	0.490	0.490	0.490	0.490
500	—	—	—	—	—	0.490	0.490	0.490
600	—	—	—	—	—	—	0.489	0.489
1000	—	—	—	—	—	—	—	0.489

11 布线系统永久链路的最大传播时延偏差应符合表A.0.1-11的规定。

表A.0.1-11 传播时延偏差

等 级	频率 f(MHz)	最大时延偏差(μs)
A	$f=0.1$	—
B	$0.1 \leqslant f \leqslant 1$	—
C	$1 \leqslant f \leqslant 16$	0.044[①]
D	$1 \leqslant f \leqslant 100$	0.044[①]
E	$1 \leqslant f \leqslant 250$	0.044[①]
E_A	$1 \leqslant f \leqslant 500$	0.044[①]
F	$1 \leqslant f \leqslant 600$	0.026[②]
F_A	$1 \leqslant f \leqslant 1000$	0.026[②]

注：① 为 $0.9 \times 0.045 + 3 \times 0.00125$ 计算结果。
② 为 $0.9 \times 0.025 + 3 \times 0.00125$ 计算结果。

12 外部近端串音功率和(PS ANEXT)在布线的两端均应符合PS ANEXT值要求，布线系统永久链路的PS ANEXT值应符合表A.0.1-12的规定。

表 A.0.1-12 外部近端串音功率和(PS ANEXT)值

频率(MHz)	最小 PS ANEXT 值(dB)	
	等级	
	E_A	F_A
1	67.0	67.0
100	60.0	67.0
250	54.0	67.0
500	49.5	64.5
1000	—	60.0

13 外部近端串音功率和平均值(PS $ANEXT_{avg}$)在布线的两端均应符合 PS $ANEXT_{avg}$ 值要求,布线系统永久链路的 PS $ANEXT_{avg}$ 值应符合表 A.0.1-13 的规定。

表 A.0.1-13 外部近端串音功率和平均值(PS $ANEXT_{avg}$)

频率(MHz)	最小 PS $ANEXT_{avg}$ 值(dB)
	等级
	E_A
1	67.0
100	62.3
250	56.3
500	51.8

14 外部 ACR-F 功率和(PS AACR-F)在布线的两端均应符合 PS AACR-F 值要求,布线系统永久链路的 PS AACR-F 值应符合表 A.0.1-14 的规定。

表 A.0.1-14 外部 ACR-F 功率和(PS AACR-F)值

频率(MHz)	最小 PS AACR-F 值(dB)	
	等级	
	E_A	F_A
1	67.0	67.0
100	37.0	52.0
250	29.0	44.0
500	23.0	38.0
1000	—	32.0

15 外部 ACR-F 功率和平均值(PS AACR-F_{avg})在布线的两端均应符合 PS AACR-F_{avg} 值要求,布线系统永久链路的 PS AACR-F_{avg} 值应符合表 A.0.1-15 的规定。

表 A.0.1-15 外部 ACR-F 功率和平均值(PS AACR-F_{avg})

频率(MHz)	最小 PS AACR-F_{avg} 值(dB)
	等级
	E_A
1	67.0
100	41.0
250	33.0
500	27.0

A.0.2 综合布线系统工程设计中,100Ω 对绞电缆组成的信道各项指标值应符合下列规定:

1 在布线的两端均应符合回波损耗值的要求,布线系统信道的回波损耗值应符合表 A.0.2-1 的规定。

表 A.0.2-1 回波损耗(RL)值

频率(MHz)	最小 RL 值(dB)					
	等级					
	C	D	E	E_A	F	F_A
1	15.0	17.0	19.0	19.0	19.0	19.0
16	15.0	17.0	18.0	18.0	18.0	18.0
100	—	10.0	12.0	12.0	12.0	12.0
250	—	—	8.0	8.0	8.0	8.0
500	—	—	—	6.0	8.0	8.0
600	—	—	—	—	8.0	8.0
1000	—	—	—	—	—	6.0

2 布线系统信道的插入损耗(IL)值应符合表 A.0.2-2 的规定。

表 A.0.2-2 插入损耗(IL)值

频率 (MHz)	最大 IL 值(dB) 等级							
	A	B	C	D	E	E_A	F	F_A
0.1	16.0	5.5	—	—	—	—	—	—
1	—	5.8	4.2	4.0	4.0	4..0	4.0	4.0
16	—	—	14.4	9.1	8.3	8.2	8.1	8.0
100	—	—	—	24.0	21.7	20.9	20.8	20.3
250	—	—	—	—	35.9	33.9	33.8	32.5
500	—	—	—	—	—	49.3	49.3	46.7
600	—	—	—	—	—	—	54.6	51.4
1000	—	—	—	—	—	—	—	67.6

3 线对与线对之间的近端串音(NEXT)在布线的两端均应符合 NEXT 值的要求,布线系统信道的近端串音值应符合表 A.0.2-3 的规定。

表 A.0.2-3 近端串音(NEXT)值

频率 (MHz)	最小 NEXT 值(dB) 等级							
	A	B	C	D	E	E_A	F	F_A
0.1	27.0	40.0	—	—	—	—	—	—
1	—	25.0	39.1	63.3	65.0	65.0	65.0	65.0
16	—	—	19.4	43.6	53.2	53.2	65.0	65.0
100	—	—	—	30.1	39.9	39.9	62.9	65.0
250	—	—	—	—	33.1	33.1	56.9	59.1
500	—	—	—	—	—	27.9	52.4	53.6
600	—	—	—	—	—	—	51.2	52.1
1000	—	—	—	—	—	—	—	47.9

4 近端串音功率和(PS NEXT)在布线的两端均应符合 PS NEXT 值要求,布线系统信道的 PS NEXT 值应符合表 A.0.2-4 的规定。

表 A.0.2-4　近端串音功率和(PS NEXT)值

频率	最小 PS NEXT 值(dB)				
(MHz)	等　　级				
	D	E	E_A	F	F_A
1	60.3	62.0	62.0	62.0	62.0
16	40.6	50.6	50.6	62.0	62.0
100	27.1	37.1	37.1	59.9	62.0
250	—	30.2	30.2	53.9	56.1
500	—	—	24.8	49.4	50.6
600	—	—	—	48.2	49.1
1000	—	—	—	—	44.9

5　线对与线对之间的衰减近端串音比(ACR-N)在布线的两端均应符合 ACR-N 值要求,布线系统信道的 ACR-N 值应符合表 A.0.2-5 的规定。

表 A.0.2-5　衰减近端串音比(ACR-N)值

频率	最小 ACR-N 值(dB)				
(MHz)	等　　级				
	D	E	E_A	F	F_A
1	59.3	61.0	61.0	61.0	61.0
16	34.5	44.9	45.0	56.9	57.0
100	6.1	18.2	19.0	42.1	44.7
250	—	−2.8	−0.8	23.1	26.7
500	—	—	−21.4	3.1	6.9
600	—	—	—	−3.4	0.7
1000	—	—	—	—	−19.6

6　布线系统信道两端的衰减近端串音比功率和(PS ACR-N)值应符合表 A.0.2-6 的规定。

表 A.0.2-6　衰减近端串音比功率和(PS ACR-N)值

频率	最小 PS ACR-N 值(dB)				
(MHz)	等　　级				
	D	E	E_A	F	F_A
1	56.3	58.0	58.0	58.0	58.0
16	31.5	42.3	42.4	53.9	54.0
100	3.1	15.4	16.2	39.1	41.7
250	—	−5.8	−3.7	20.1	23.7

续表 A.0.2-6

频率	最小 PS ACR-N 值(dB)				
(MHz)	等级				
	D	E	E_A	F	F_A
500	—	—	−24.5	0.1	3.9
600	—	—	—	−6.4	−2.3
1000	—	—	—	—	−22.6

7 线对与线对之间的衰减远端串音比(ACR-F)在布线的两端均应符合 ACR-F 值要求,布线系统信道的 ACR-F 值应符合表 A.0.2-7 的规定。

表 A.0.2-7 衰减远端串音比(ACR-F)值

频率	最小 ACR-F 值(dB)				
(MHz)	等级				
	D	E	E_A	F	F_A
1	57.4	63.3	63.3	65.0	65.0
16	33.3	39.2	39.2	57.5	63.3
100	17.4	23.3	23.3	44.4	47.4
250	—	15.3	15.3	37.8	39.4
500	—	—	9.3	32.6	33.4
600	—	—	—	31.3	31.8
1000	—	—	—	—	27.4

8 布线系统信道的衰减远端串音比功率和(PS ACR-F)值应符合表 A.0.2-8 的规定。

表 A.0.2-8 衰减远端串音比功率和(PS ACR-F)值

频率	最小 PS ACR-F 值(dB)				
(MHz)	等级				
	D	E	E_A	F	F_A
1	54.4	60.3	60.3	62.0	62.0
16	30.3	36.2	36.2	54.5	60.3
100	14.4	20.3	20.3	41.4	44.4
250	—	12.3	12.3	34.8	36.4
500	—	—	6.3	29.6	30.4
600	—	—	—	28.3	28.8
1000	—	—	—	—	24.4

9 布线系统信道的直流环路电阻(d.c.)应符合表 A.0.2-9 的规定。

表 A.0.2-9 信道直流环路电阻

最大直流环路电阻(Ω)							
等级							
A	B	C	D	E	E_A	F	F_A
560	170	40	25	25	25	25	25

注:直流环路电阻不得超过表中规定的 3% 或 0.2Ω。

10 布线系统信道的传播时延应符合表 A.0.2-10 的规定。

表 A.0.2-10 信道传播时延

频率 (MHz)	最大传播时延(μs)							
	等级							
	A	B	C	D	E	E_A	F	F_A
0.1	20.0	5.0	—	—	—	—	—	—
1	—	5.0	0.580	0.580	0.580	0.580	0.580	0.580
16	—	—	0.553	0.553	0.553	0.553	0.553	0.553
100	—	—	—	0.548	0.548	0.548	0.548	0.548
250	—	—	—	—	—	0.546	0.546	0.546
500	—	—	—	—	—	0.546	0.546	0.546
600	—	—	—	—	—	—	0.545	0.545
1000	—	—	—	—	—	—	—	0.545

11 布线系统信道的传播时延偏差应符合表 A.0.2-11 的规定。

表 A.0.2-11 信道传播时延偏差

等级	频率 f(MHz)	最大时延偏差(μs)
A	$f=0.1$	—
B	$0.1 \leqslant f \leqslant 1$	—
C	$1 \leqslant f \leqslant 16$	0.050[①]
D	$1 \leqslant f \leqslant 100$	0.050[①,③]
E	$1 \leqslant f \leqslant 250$	0.050[①,③]
E_A	$1 \leqslant f \leqslant 500$	0.050[①,③]
F	$1 \leqslant f \leqslant 600$	0.030[②,③]
F_A	$1 \leqslant f \leqslant 1000$	0.030[②,③]

注:① 为 0.045+4×0.00125 计算结果。

② 为 0.025+4×0.00125 计算结果。

③ 布线信道因环境温度影响,在给定的传播时延偏差值上不得超过 0.010μs。

12 外部近端串音功率和(PS ANEXT)在布线的两端均应符合 PS ANEXT 值要求,布线系统信道的 PS ANEXT 值应符合表 A.0.2-12 的规定。

表 A.0.2-12 外部近端串音功率和(PS ANEXT)值

频率(MHz)	最小 PS ANEXT 值(dB)	
	等级	
	E_A	F_A
1	67.0	67.0
100	60.0	67.0
250	54.0	67.0
500	49.5	64.5
1000	—	60.0

13 外部近端串音功率和平均值($PS\ ANEXT_{avg}$)在布线的两端均应符合 $PS\ ANEXT_{avg}$ 值要求,布线系统信道的 $PS\ ANEXT_{avg}$ 值应符合表 A.0.2-13 的规定。

表 A.0.2-13 外部近端串音功率和平均($PS\ ANEXT_{avg}$)值

频率(MHz)	最小 $PS\ ANEXT_{avg}$ 值(dB)
	等级
	E_A
1	67.0
100	62.3
250	56.3
500	51.8

14 外部 ACR-F 功率和(PS AACR-F)在布线的两端均应符合 PS AACR-F 值要求,布线系统信道的 PS AACR-F 值应符合表 A.0.2-14 的规定。

表 A.0.2-14 外部 ACR-F 功率和(PS AACR-F)值

频率(MHz)	最小 PS AACR-F 值(dB)	
	等级	
	E_A	F_A
1[①]	64.7	64.8
100	37.0	52.0
250	29.0	44.0

续表 A.0.2-14

频率(MHz)	最小 PS AACR-F 值(dB)	
	等级	
	E_A	F_A
500	23.0	38.0
1000		32.0

注：①PS AACR-F 值在 1MHz 时，计算值受插入损耗影响。

15 外部 ACR-F 功率和平均值（PS AACR-F_{avg}）在布线的两端均应符合 PS AACR-F_{avg} 值要求，布线系统信道的 PS AACR-F_{avg} 值应符合表 A.0.2-15 的规定。

表 A.0.2-15 外部 ACR-F 功率和平均（PS AACR-F_{avg}）值

频率(MHz)	最小 PS AACR-F_{avg} 值(dB)
	等级
	E_A
1①	64.7
100	41.0
250	33.0
500	27.0

注：①PS AACR-F_{avg} 值在 1MHz 时，计算值受插入损耗的影响。

A.0.3 屏蔽布线系统电缆对绞线对的传输性能要求应符合本规范第 A.0.1 条与第 A.0.2 条的规定。

A.0.4 电缆屏蔽特性的相关指标参数应符合下列规定：

1 非屏蔽布线信道中每个线对的 TCL 值应符合表 A.0.4-1 的规定。

表 A.0.4-1 非屏蔽布线信道横向转换损耗（TCL）

等级	频率 f(MHz)	最小 TCL(dB)①
A	$f=0.1$	30
B	$f=0.1$	45
	$f=1$	20
C	$1 \leqslant f \leqslant 16$	$30-5\lg(f)$
D、E、E_A、F、F_A	$1 \leqslant f \leqslant 30$	$53-15\lg(f)$
	$30 \leqslant f \leqslant$ ②	$60.3-20\lg(f)$

注：①若 TCL 对应于一个频率的计算值大于 40dB 时，仍应满足 40dB 的最小要求。
②对大于 250MHz 时的参数仅供参考。

2 非屏蔽布线信道两端等效横向转换损耗(ELTCTL)值应符合表 A.0.4-2 的规定。

表 A.0.4-2 非屏蔽布线信道两端等效横向转换损耗(ELTCTL)

等 级	频率 f(MHz)	最小 ELTCTL(dB)
D、E、E_A、F、F_A	$1 \leqslant f \leqslant 30$	$30 - 20\lg(f)$

3 屏蔽布线信道耦合衰减值应符合表 A.0.4-3 的规定。

表 A.0.4-3 屏蔽布线信道耦合衰减

等 级	频率 f(MHz)	最小耦合衰减(dB)①
D、E、E_A、F、F_A	$30 \leqslant f \leqslant$ ②	$80 - 20\lg(f)$

注:①如耦合衰减大于 40dB 的频率计算值时,仍应满足 40dB 的最小要求。
　　②大于 1000MHz 时的参数仅供参考。

4 布线系统对绞电缆线对的不平衡电阻值应符合表 A.0.4-4 的规定。

表 A.0.4-4 布线系统对绞电缆线对的不平衡电阻值

等 级	同线对中芯线间电阻差值		线对间环路电阻差值	
	Ω	%	Ω	%
D、E、E_A、F、F_A 链路	0.15	3.0	0.1	7.0
D、E、E_A、F、F_A 信道	0.2	3.0	0.1	7.0

A.0.5 光纤布线系统传输性能指标应符合下列规定:

1 各等级的光纤信道衰减值应符合表 A.0.5-1 的规定。

表 A.0.5-1 信道衰减

等 级	信道衰减(dB)			
	多 模		单 模	
	850nm	1300nm	1310nm	1550nm
OF-300	2.55	1.95	1.80	1.80
OF-500	3.25	2.25	2.00	2.00
OF-2000	8.50	4.50	3.50	3.50

注:光纤信道包括的所有连接器件的衰减合计不应大于 1.5dB。

2 光纤的衰减值应符合表 A.0.5-2 的规定。

表 A.0.5-2 光纤衰减

光纤衰减限值(dB/km)							
光纤类型	多模光纤 OM1、OM2、OM3、OM4		单模光纤 OS1		单模光纤 OS2		
波长(nm)	850	1300	1310	1550	1310	1383	1550
衰减(dB)	3.5	1.5	1.0	1.0	0.4	0.4	0.4

3 多模光纤的最小模式带宽应符合表 A.0.5-3 的规定。

表 A.0.5-3 多模光纤模式带宽

多模光纤类型	光纤直径 (μm)	最小模式带宽(MHz·km)		有效激光注入带宽
		满注入带宽		
		波长		波长
		850nm	1300nm	850nm
OM1	50 或 62.5	200	500	—
OM2	50 或 62.5	500	500	—
OM3	50	1500	500	2000
OM4	50	3500	500	4700

注：使用 IEC/PAS60793－2－10 规定的差分模式时延(DMD)确保有效的光发射带宽，过量的发射模式带宽的光纤可能不支持该标准附录 F 中的某些应用。

附录B 8位模块式通用插座端子支持的通信业务

表B 8位模块式通用插座端子支持的通信业务

应用通信业务	1、2端子	3、6端子	4、5端子	7、8端子
PBX	A级①	A级①	A级①	A级①
X.21	—	—	A级	A级
V.11	—	—	A级	A级
S0-Bus(扩展的)	②	B级	B级	②
S0点到点	②	B级	B级	②
S1/S2	B级	③	B级	②
以太网10BASE-T	C级	C级	②	②
令牌网4Mbit/s	—	C级	C级	—
ATM-25 3次群	C级	—	—	C级
ATM-51 3次群	C级	—	—	C级
ATM-155 3次群	C级	—	—	C级
令牌网16Mbit/s	—	D级	D级	—
ATM-155 5次群	D级	—	—	D级
以太网100BASE-TX	D级	D级	—	—
令牌网100Mbit/s	—	D级	D级	—
以太网1000BASE-T	D级	D级	D级	D级
1G FCBase-T	D级	D级	D级	D级
ATM-1200 6次群	E级	E级	E级	E级
以太网10GBASE-T	E_A级	E_A级	E_A级	E_A级
2G FCBase-T	E_A级	E_A级	E_A级	E_A级
4G FCBase-T	E_A级	E_A级	E_A级	E_A级
FC-100-DF-EL-S④	F级	F级	—	—

注:①根据设备的要求。
　　②可选择的电源。
　　③可选择的连续的屏蔽电缆。
　　④选择范围为ISO/IEC14165-114指定的IEC61076-3-104标准。

附录 C 缆线传输性能与传输距离

C.0.1 电缆在通信业务网中的应用等级与传输距离应符合表 C.0.1 的规定。

表 C.0.1 对绞电缆应用传输距离

应用网络	布线类别	应用距离(m)	备 注
10BASE-T 以太网	3,5e,6,6_A	100	—
100BASE-TX 以太网	5e,6,6_A	100	—
1000BASE-T 以太网	5e,6,6_A	100	—
10GBASE-T 以太网	6_A	100	
ADSL	3,5e,6,6_A	5000	1.5Mb/s～9Mb/s
VDSL	3,5e,6,6_A	5000	1500m 时,12.9Mb/s; 300m 时,52.8Mb/s
模拟电话	3,5e,6,6_A	800	—
FAX 传真	3,5e,6,6_A	5000	
ATM 25.6	3,5e,6,6_A	100	—
ATM 51.84	3,5e,6,6_A	100	—
ATM 155.52	5e,6,6_A	100	
ATM 1.2G	6,6_A	100	
ISDN BRI	3,5e,6,6_A	5000	128Kb/s
ISDN PRI	3,5e,6,6_A	5000	1.472Mb/s

C.0.2 光纤在通信业务网中的应用等级与插入损耗应符合表 C.0.2 的规定。

表 C.0.2 光纤在通信业务网中的应用等级与插入损耗值

应用网络	信道插入损耗的最大值(dB)			ISO/IEC 11801 规定的信道支持不同波长时光纤的应用等级								
	多模		单模		OM1		OM2		OM3/OM4		OS1/OS2	
	850nm	1300nm	1310nm	850nm	1300nm	850nm	1300nm	850nm	1300nm	1310nm	1550nm
IEEE 802-3: 10BASE-FL and FB[2]	12.5(6.8)	—	—	OF-2000	—	OF-2000	—	OF-2000	—	—	—
ISO/IEC TR 11802-4: 4 and 16 Mbit/s Token Ring[2]	13.0(8.0)	—	—	OF-2000	—	OF-2000	—	OF-2000	—	—	—
ATM at 52 Mbit/s[2]	—	10.0(5.3)	10.0	—	OF-2000	—	OF-2000	—	OF-2000	OF-2000	—
ATM at 155 Mbit/s[2]	7.2	10.0(5.3)	7.0	OF-500	OF-2000	OF-500	OF-2000	OF-500	OF-2000	OF-2000	—
ATM at 622Mbit/s[2],[3],[4]	7.2	6.0(2.0)	7.0	OF-300	OF-500	OF-300	OF-500	OF-300	OF-500	OF-2000	—
SO/IEC14165-111: Fibre Channel (FC—PH) at 1 062 Mbit/s[3],[4]	4.0	—	6.0	OF-300	—	OF-500	—	OF-500	OF-500	OF-2000	—
EEE 802-3: 1000 BASE-SX[4]	2.6(3.56)	—	—	[5]	—	—	—	—	—	—	—
EEE 802-3: 1000 BASE-LX[3],[4]	—	2.35	4.56	—	OF-500	—	OF-500	—	OF-500	—	—
ISO/IEC 9314-3: FDDI PMD[2]	—	11.0(6.0)	—	—	OF-2000	—	OF-2000	—	OF-2000	—	—

• 72 •

续表 C.0.2

应用网络	信道插入损耗的最大值(dB)			ISO/IEC 11801 规定的信道支持不同波长时光纤的应用等级								
	多模①		单模	OM1		OM2		OM3/OM4		OS1/OS2	
	850nm	1300nm	1310nm	850nm	1300nm	850nm	1300nm	850nm	1300nm	1310nm	1550nm
ISO/IEC 9314-3:FDDISMF—PMD②	—	—	10.0	—	—	—	—	—	—	OF-2000	OF-2000
ISO/IEC 8802-3:100BASE-FX②	—	11.0(6.0)	—	—	OF-2000	—	OF-2000	—	OF-2000	—	—
EEE 802-3:10GBASE-SX	—	2.0	6.20	—	OF-300	—	OF-300	—	OF-300	—	—
EEE 802-3:10GBASE-ER/EW	1.6(62.5) 1.8(OM-250) 2.6(OM-3)	—	—	—	—	—	—	OF-300	—	—	—
EEE 802-3:10GBASE-SR/SW	—	—	6.20	—	—	—	—	—	—	OF-2000	—
EEE 802-3:10GBASE-LR/LW③	—	—	f.f.s	—	—	—	—	—	—	OF-2000	—
EEE 802-3:40GBASE-LR4	—	—	6.30	—	—	—	—	—	—	OF-2000	—
EEE 802-3:100GBASE-ER4	—	—	18.0	—	—	—	—	—	—	OF-2000	—

·73·

续表 C.0.2

应用网络	信道插入损耗的最大值(dB)				ISO/IEC 11801 规定的信道支持不同波长时光纤的应用等级						
	多模①		单模		OM1		OM2		OM3/OM4		OS1/OS2
	850nm	1300nm	1310nm		850nm	1300nm	850nm	1300nm	850nm	1300nm	1310nm	1550nm
1Gbps FC (1.0625 GBd)	3.85(OM-2) 2.62(OM-3)	—	7.80		OF-500	—	OF-500	—	OF-500	—	OF-2000	—
2Gbps FC (2.215 GBd)	2.1(OM-1) 2.62(OM-2) 3.31(OM-3)	—	7.80		—	—	OF-300	—	OF-300	—	OF-2000	—
4Gbps FC (4.25 GBd)	1.78(OM-1) 2.06(OM-2) 4.48(OM-3)	—	4.80		—	—	—	—	OF-300	—	OF-2000	—
8Gbps FC (8.5 GBd)	1.62(OM-1) 1.77(OM-2) 2.32(OM-3)	—	6.40		—	—	—	—	—	—	OF-2000	—

注：① 为 62.5μm 和 50/125μm 多模光纤的数值，如有括号，括号中为 50/125μm 多模光纤的数值。
② 应用 50μm 多模光纤时信道长度可能受限，具体见相关应用标准。
③ 应用单模光纤时，信道长度可能更长，但不在本规范范围内，具体相关应用标准。
④ 在带宽有限的应用场景下，可能因使用衰减较低的元件而使信道的应用等级（长度）超过规定的数值，但不推荐这种应用方式。

C.0.3 各类光纤网络应用的信道传输衰减指标与传输距离应符合表 C.0.3 的规定。

表 C.0.3 光纤网络应用的信道传输衰减指标与传输距离

光纤类别		多模光纤						单模光纤	
		62.5/125μm TIA492 AAAA (OM1)		50/125μm TIA492 AAAB (OM2)		50/125μm TIA492 AAAC (OM3)		TIA492 CAAA(OS1) TIA492 CAAB(OS2)	
应用网络	波长(nm)	850	1300	850	1300	850	1300	1310	1550
10/100BASE-SX	信道衰减(dB)	4.0	—	4.0	—	4.0	—	—	—
	应用距离(m)	300	—	300	—	300	—	—	—
100BASE-FX	信道衰减(dB)	—	11.0	—	6.0	—	6.0	—	—
	应用距离(m)	—	2000	—	2000	—	2000	—	—
1000BASE-SX	信道衰减(dB)	2.6	—	3.6	—	4.5	—	—	—
	应用距离(m)	270	—	550	—	800	—	—	—
1000BASE-LX	信道衰减(dB)	—	2.3	—	2.3	—	2.3	4.5	—
	应用距离(m)	—	550	—	550	—	550	5000	—
10GBASE-S	信道衰减(dB)	2.4	—	2.3	—	2.6	—	—	—
	应用距离(m)	33	—	82	—	300	—	—	—
10GBASE-LX4	信道衰减(dB)	—	2.5	—	2.0	—	2.0	6.3	—
	应用距离(m)	—	300	—	300	—	300	10000	—
10GBASE-L	信道衰减(dB)	—	—	—	—	—	—	6.2	—
	应用距离(m)	—	—	—	—	—	—	10000	—
10GBASE-LRM	信道衰减(dB)	—	1.9	—	1.9	—	1.9	—	—
	应用距离(m)	—	220	—	220	—	220	—	—
100-MX-SN-I	信道衰减(dB)	3.0	—	3.9	—	4.6	—	—	—
	应用距离(m)	300	—	500	—	860	—	—	—
100-SM-LC-L	信道衰减(dB)	—	—	—	—	—	—	7.8	—
	应用距离(m)	—	—	—	—	—	—	10000	—
200-MX-SN-I	信道衰减(dB)	2.1	—	2.6	—	3.3	—	—	—
	应用距离(m)	150	—	300	—	500	—	—	—

续表 C.0.3

光纤类别		多模光纤			单模光纤
		62.5/125μm TIA492 AAAA (OM1)	50/125μm TIA492 AAAB (OM2)	50/125μm TIA492 AAAC (OM3)	TIA492 CAAA(OS1) TIA492 CAAB(OS2)
200-SM-LC-L	信道衰减(dB)	—	—	—	7.8
	应用距离(m)	—	—	—	10000
400-MX-SN-I	信道衰减(dB)	1.8	2.1	2.5	—
	应用距离(m)	70	150	270	—
400-SM-LC-L	信道衰减(dB)	—	—	—	7.8
	应用距离(m)	—	—	—	10000
1200-MX-SN-I	信道衰减(dB)	2.4	2.2	2.6	—
	应用距离(m)	33	82	300	—
1200-SM-LL-L	信道衰减(dB)	—	—	—	6.0
	应用距离(m)	—	—	—	10000
FDDI PMD	信道衰减(dB)	—	11.0	6.0	6.0	—
	应用距离(m)	—	2000	2000	2000	—
FDDI SMF-PMD	信道衰减(dB)	—	—	—	10.0
	应用距离(m)	—	—	—	10000

C.0.4 多模光纤信道应用最大传输距离应符合表 C.0.4 的规定。

表 C.0.4 多模光纤信道应用最大传输距离

应用网络	波长(nm)	最大信道长度(m)	
		50/125μm	62.5/125μm
IEEE 802-3: FOIRL	850	514	1000
IEEE 802-3:10BASE-FL & FB	850	1514	2000
ISO/IEC TR 11802-4: 4 & 16 Mbit/s Token Ring	850	1857	2000
ATM at 155 Mbit/s	850	1000[2]	1000[1]
ATM at 622 Mbit/s	850	300[2]	300[1]
ISO/IEC 14165-111: Fibre Channel (FC-PH) at 1062 Mbit/s[4]	850	500[2]	300[1]

续表 C.0.4

应用网络	波长(nm)	最大信道长度(m) 50/125μm	最大信道长度(m) 62.5/125μm
IEEE 802.3:1000BASE-SX[④]	850	550[②]	275[①]
IEEE 802.3:1000BASE-SR[④]	850	300[③]	
IEEE 802.3:1000BASE-SR4[④]	850	100[③]/125[⑤]	
IEEE 802.3:1000BASE-SR10[④]	850	100[③]/125[⑤]	
1 Gbps FC (1.0625 GBd)[④]	850	500[①]	300[②]
2 Gbps FC (2.125 GBd)[④]	850	300[③]	
4 Gbps FC (4.25 GBd)[④]	850	150[②]/380[③]/400[⑤]	70
8 Gbps FC (8.5 GBd)[④]	850	50[②]/150[③]/200[⑤]	21
16 Gbps FC (14.025 GBd)[④]	850	35[②]/100[③]/130[⑤]	15
ISO/IEC 9314-3:FDDI PMD	1300	2000	2000
IEEE 802-3:100BASE-FX	1300	2000	2000
IEEE 802.5t:100 Mbit/s Token Ring	1300	2000	2000
ATM at 52 Mbit/s	1300	2000	2000
ATM at 155 Mbit/s	1300	2000	2000
ATM at 622 Mbit/s	1300	330	500
IEEE 802.3:1000BASE-LX[④]	1300	550[②]	550[①]
IEEE 802.3:10GBASE-LX4[④]	1300	300[①]	300[①]

注:①OM1 光纤规定的最小传输距离。
　　②OM2 光纤规定的最小传输距离。
　　③OM3 光纤规定的最小传输距离。
　　④在带宽有限的应用场景下,可能因使用衰减较低的元件而使信道的应用等级(长度)超过规定的数值,但不推荐这种应用方式。
　　⑤OM4 光纤规定的最小传输距离。

C.0.5 单模光纤信道应用最大传输距离应符合表 C.0.5 的规定。

表 C.0.5 单模光纤信道应用最大传输距离

应 用 网 络	波长(nm)	最大信道长度(m)
ISO/IEC 9314-4：FDDI SMF-PMD	1310	2000
ATM at 52 Mbit/s	1310	2000
ATM at 155 Mbit/s	1310	2000
ATM at 622 Mbit/s	1310	2000
ISO/IEC 14165-111：Fibre Channel (FC-PH) at 1062 Mbit/s	1310	2000
IEEE 802.3：1000BASE-LX	1310	2000
IEEE 802.3：40GBASE-LR4	1310	2000
IEEE 802.3：100GBASE-LR4	1310	2000
IEEE 802.3：100GBASE-ER4	1310	2000
1 Gbps FC (1.0625 GBd)	1310	2000
2 Gbps FC (2.125 GBd)	1310	2000
4 Gbps FC (4.25 GBd)	1310	2000
8 Gbps FC (8.5 GBd)	1310	2000
10 Gbps/s FC	1310	没有规定
IEEE 802.3：10GBASE-LR/LW	1310	2000
1 Gbps/s FC	1550	2000
2 Gbps/s FC	1550	2000
IEEE 802.3：10GBASE-ER/EW	1550	2000
IEEE 802.3：40GBASE-LR4	1271,1291,1311,1310	2000
IEEE 802.3：100GBASE-LR4	1295,1300,1305,1310	330
IEEE 802.3：100GBASE-ER4	1295,1300,1305,1310	550

C.0.6 光纤传输性能指标参数应符合表 C.0.6 的规定。

表 C.0.6 光纤传输性能指标参数

光缆类型[2]	波长 (nm)	衰减 (dB/km)	最小模式带宽 (MHz·km)[1]	
			满注入带宽	有效激光注入带宽
62.5/125 B3 TIA 492AAAA (OM1)	850	3.5	200	没有规定
	1300	1.5	500	

续表 C.0.6

光缆类型[2]	波长 (nm)	衰减 (dB/km)	最小模式带宽 (MHz·km)[1]	
			满注入带宽	有效激光注入带宽
50/125μm TIA 492AAAB (OM2)	850	3.5	500	没有规定
	1300	1.5	500	
850 nm 优化激光 50/125μm TIA 492AAAC (OM3)	850	3.5	1500	2000
	1300	1.5	500	没有规定
室内外通用光缆 TIA 492CAAA (OS1) TIA 492CAAB (OS2)[3]	1310	0.5	—	—
	1550	0.5	—	—
室内光缆 TIA 492CAAA (OS1) TIA 492CAAB (OS2)[3]	1310	1.0	—	—
	1550	1.0	—	—
室外光缆 TIA 492CAAA (OS1) TIA 492CAAB (OS2)[3]	1310	0.5	—	—
	1550	0.5	—	—

注:①针对光纤产品制造的要求。
②OM1、OM2、OM3、OS1 和 OS2 对应的标准为 ISO/IEC 11801 或 ISO/IEC 24702。
③OS2 通常被称为"低水峰"单模光纤,在临近 1383nm 波长时,有一个较低的衰减系数。

本规范用词说明

1 为便于在执行本规范条文时区别对待，对要求严格程度不同的用词说明如下：
  1）表示很严格，非这样做不可的：
    正面词采用"必须"，反面词采用"严禁"；
  2）表示严格，在正常情况下均应这样做的：
    正面词采用"应"，反面词采用"不应"或"不得"；
  3）表示允许稍有选择，在条件许可时首先应这样做的：
    正面词采用"宜"，反面词采用"不宜"；
  4）表示有选择，在一定条件下可以这样做的，采用"可"。

2 条文中指明应按其他有关标准执行的写法为："应符合……的规定"或"应按……执行"。

引用标准名录

《通信管道与通道工程设计规范》GB 50373

中华人民共和国国家标准

综合布线系统工程设计规范

GB 50311-2016

条文说明

修订说明

《综合布线系统工程设计规范》GB 50311—2016，经住房城乡建设部2016年8月26日以第1292号公告批准发布。

本规范是在《综合布线系统工程设计规范》GB 50311—2007的基础上修订而成的，上一版的主编单位是中国移动通信集团设计院有限公司，参编单位是中国建筑标准设计研究院、中国建筑设计院有限公司、中国建筑东北设计研究院、现代集团华东建筑设计研究院有限公司、五洲工程设计研究院，主要起草人是张宜、张晓微、孙兰、李雪佩、张文才、陈琪、成彦、温伯银、赵济安、瞿二澜、朱立彤、刘侃、陈汉民。本次修订的主要技术内容是：在原规范内容基础上，对建筑群与建筑物综合布线系统及通信基础设施工程的设计要求进行了补充与完善；增加了布线系统在弱电系统中的应用相关内容；增加了光纤到用户单元通信设施工程设计要求，并新增有关光纤到用户单元通信设施工程建设的强制性条文；丰富了管槽和设备的安装工艺要求；增加了相关附录。

本规范修订过程中，编制组进行了广泛深入的调查研究，总结了我国综合布线系统工程建设的实践经验，同时参考了国外先进技术法规、技术标准。

为便于广大设计、施工、科研、学校等单位有关人员在使用本规范时能正确理解和执行条文规定，《综合布线系统工程设计规范》编制组按章、节、条顺序编制了本规范的条文说明，对条文规定的目的、依据以及执行中需注意的有关事项进行了说明。但是，本条文说明不具备与规范正文同等的法律效力，仅供使用者作为理解和把握规范规定的参考。

目　次

1 总　则 ……………………………………………（89）
3 系统设计 …………………………………………（91）
　3.1 系统构成 ……………………………………（91）
　3.2 系统分级与组成 ……………………………（92）
　3.4 系统应用 ……………………………………（93）
　3.5 屏蔽布线系统 ………………………………（95）
　3.6 开放型办公室布线系统 ……………………（99）
　3.7 工业环境布线系统 …………………………（99）
4 光纤到用户单元通信设施 ……………………（105）
　4.1 一般规定 …………………………………（105）
　4.2 用户接入点设置 …………………………（108）
　4.3 配置原则 …………………………………（110）
　4.4 缆线与配线设备的选择 …………………（111）
　4.5 传输指标 …………………………………（111）
5 系统配置设计 …………………………………（112）
　5.1 工作区 ……………………………………（113）
　5.2 配线子系统 ………………………………（118）
　5.3 干线子系统 ………………………………（119）
　5.6 管理系统 …………………………………（120）
6 性能指标 ………………………………………（121）
　6.1 缆线与连接器件性能指标 ………………（121）
　6.2 系统性能指标 ……………………………（123）
7 安装工艺要求 …………………………………（124）
　7.1 工作区 ……………………………………（124）

7.2 电信间 ………………………………………………… (124)
7.3 设备间 ………………………………………………… (125)
7.4 进线间 ………………………………………………… (126)
7.5 导管与桥架安装 ……………………………………… (126)
7.6 缆线布放 ……………………………………………… (127)
7.7 设备安装设计 ………………………………………… (128)
8 电气防护及接地 …………………………………………… (130)
9 防　　火 …………………………………………………… (132)
附录 A 系统指标 …………………………………………… (134)

1 总　　则

1.0.1 随着城市建设及信息通信事业的发展，现代化的商住楼、办公楼、综合楼及园区等各类民用建筑及工业建筑对信息通信网络的要求不断提高。过去在设计建筑内的语音及数据业务线路时，常使用各种不同的传输线、配线插座以及连接器件构成各自的配线网络。例如：用户电话交换机通常使用对绞电话线，计算机局域网络（LAN）则使用对绞线或同轴电缆，而不同缆线的插头、插座等均无法互相兼容。

综合布线系统采用标准的缆线与连接器件将所有语音、数据、图像及多媒体业务系统设备的布线组合在一套标准的布线系统中。其开放的结构可以作为各种不同工业产品标准的基准，使得配线系统将具有更大的适用性、灵活性、通用性，而且可以以最低的成本随时对设于工作区域的配线设施重新规划。建筑智能化建设中的建筑设备监控系统、安全技术防范系统等设备在具备TCP/IP协议接口时，也可使用综合布线系统的缆线与连接器件作为信息的传输介质，以提升布线系统的综合应用能力。同时智能布线系统技术的应用又为建筑智能化系统的集中监测、控制与管理打下了良好的基础。

综合布线系统作为结构化的配线系统，综合了通信网络、信息网络及控制网络的配线，为其相互间的信号交互提供通道，在智慧城市信息化的建设中，综合布线系统有着极其广阔的使用前景。

1.0.3 在确定建筑物或建筑群的功能与需求之后，在进行城区和园区的综合管线基础设施规划时，应考虑满足信息化、智能化发展要求的布线设施和管道，力求资源共享，避免今后重复开挖地面，给人们带来生活的不便和资金的浪费。

1.0.4 综合布线系统作为建筑的通信基础设施,在建设期应考虑一次性投资建设,并能适应各种通信与信息业务服务接入的需求。综合布线系统与建筑智能化同步设计可以避免将来建筑物内管网的重复建设而影响到建筑物的安全与环保。因此在管道与设施安装场地等方面,工程设计中应充分满足资源合理应用的要求。

3 系统设计

3.1 系统构成

3.1.2 设计综合布线系统应采用开放式星型拓扑结构,该结构下的每个子系统都是相对独立的。只要改变节点连接就可使网络在星型、总线、环形等各种类型的网络拓扑间进行转换。综合布线配线设备的典型设置与功能组合如图 1 所示。当由多个建筑物构成的配线系统时,为了使布线系统安全与正常工作,需要对布线路由有冗余的设计。不同建筑物内的建筑物配线设备(BD)与建筑物配线设备(BD)之间、本建筑物的建筑物配线设备(BD)与另一建筑物楼层配线设备(FD)之间、同一建筑物内的楼层配线设备(FD)与楼层配线设备(FD)之间可设置直通的路由。

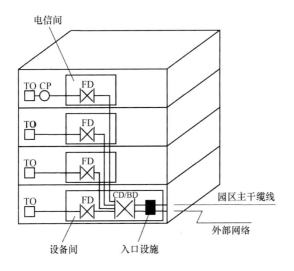

图 1 综合布线配线设备典型设置

3.1.3 进线间是建筑物外部通信和信息管线的入口部位,设置情况比较复杂。

6 进线间主要作为多家电信业务经营者和建筑物布线系统安装入口设施共同使用,并满足室外电、光缆引入楼内成端与分支及光缆的盘长空间的需要。由于光缆至大楼(FTTB)、至用户(FTTH)、至桌面(FTTO)的应用会使得光纤的容量日益增多,进线间就显得尤为重要。同时,进线间的环境条件应符合入口设施的安装工艺要求。在建筑物不具备设置单独进线间或引入建筑内的电、光缆数量容量较小时,也可以在缆线引入建筑物内的部位采用挖地沟或使用较小的空间完成缆线的成端与盘长,入口设施(配线设备)则可安装在设备间,但多家电信业务经营者的入口设施(配线设备)宜设置单独的场地,以便功能分区。

建筑物内如果包括数据中心,需要分别设置独立使用的进线间。

3.2 系统分级与组成

3.2.1 本规范参照国际标准《用户建筑通用布线系统》ISO 11801—2010.4 提出对绞电缆布线系统包括了 E_A、F_A 等级,规定了 6_A、7_A 类布线系统支持的传输带宽,分别可达到 500MHz 和 1000MHz,标准中不再提及 5e 类布线系统。在标准《商业建筑电信布线》ANSI/TIA-568-C 中将 5 类布线系统提升为 5e 类,不再包含 5 类布线系统。目前,在我国的布线产品及产品标准中,包括了 5 类与 5e 类布线系统。因此在工程设计中,对 5 类与 5e 类布线系统设计与产品的选用应考虑到我国的相关布线标准与本规范所列出的布线系统指标参数值的差异性。

对于布线系统,某些指标参数(如 RL、ACR-N、PS ACR-N 等)只在 D~F_A 等级中考虑。

对绞电缆布线信道应用等级的传输性能取决于电缆长度、连接级数、连接器件终端安装和器件工艺性能。当信道超过一定长度时,可以通过使用更少的连接或通过使用更高级别性能的组件来满足传输的性能要求。

3.2.2 综合布线系统规定的各子系统缆线长度要求与缆线在不同的信息通信网络中的实际应用长度不同。例如,在工程设计中考虑布线路由及缆线长度等因素,规定配线子系统中水平缆线的长度不能大于90m。而在不同带宽的以太网应用中,对绞电缆的传输距离一般为30m～90m,光纤的最远传输距离却能够达到十几公里。因此,光纤在实际工程应用中一般不会受到90m长度的限制。结合不同应用场景,综合布线系统相关标准规范关于缆线长度的内容很多,在工程设计中可以参考本规范附录C中的规定。

3.4 系统应用

综合布线系统工程设计应按照近期和远期的通信业务、计算机网络拓扑结构、建筑智能化系统等需要,选用合适的布线器件与设施。所选用各类产品的各单项指标应高于系统指标,才能保证系统指标得以满足,并具有发展的余地。同时也应考虑工程造价及工程的实际要求。

3.4.1 在表3.4.1中,其他应用一栏应根据该应用系统对网络的构成、传输带宽、传输距离、接口方式、传输缆线的规格等要求选用相应等级的综合布线产品。

3.4.2 对于综合布线系统,电缆和连接器件之间的连接应考虑阻抗匹配和平衡与非平衡的转换适配。在系统设计时,应保证布线信道和链路在支持相应等级应用中的传输性能,如果选用6类布线产品,则电缆、连接器件、跳线等都应达到6类,才能保证系统为E级布线系统的传输特性。如果采用屏蔽布线系统,则所有主干和水平电缆、跳线、设备缆线、连接器件都应选用带屏蔽的产品。

3.4.4 光纤信道在各通信业务应用中的传输距离,本规范附录C按照国际标准《用户建筑通用布线系统》ISO 11801—2010.4和《商业建筑电信布线》ANSI/TIA568 C—2009相关内容列出。

3.4.5 当跳线两端采用IDC(如110型)插头即4对或多对扁平

模块时,主要连接多端子配线模块;当采用 RJ45 即 8 位插头时,可与 8 位模块通用插座相连;当跳线两端为 SC、LC 光纤连接器件时,则与相应的光纤适配器配套相连。

3.4.6 信息点电端口如为 7 类及以上布线系统时,应注意模块的连接图要求。

3.4.7 电信间和设备间安装的配线设备的选用应与所连接的缆线相适应,具体可参照表 1 内容。

表 1 配线模块产品选用

类别	产品类型		配线模块安装场地和连接缆线类型		
	配线设备类型	容量与规格	FD(电信间)	BD(设备间)	CD(设备间)
电缆配线设备	大对数卡接模块	采用 4 对卡接模块	4 对水平电缆/4 对主干电缆	4 对主干电缆	4 对主干电缆
		采用 5 对卡接模块	大对数主干电缆	大对数主干电缆	大对数主干电缆
	25 对卡接模块	25 对	4 对水平电缆/4 对主干电缆/大对数主干电缆	4 对主干电缆/大对数主干电缆	4 对主干电缆/大对数主干电缆
	回线型卡接模块	8 回线	4 对水平电缆/4 对主干电缆	大对数主干电缆	大对数主干电缆
		10 回线	大对数主干电缆	大对数主干电缆	大对数主干电缆
	RJ45 配线模块	24 口或 48 口	4 对水平电缆/4 对主干电缆	4 对主干电缆	4 对主干电缆
光纤配线设备	SC 光纤连接器件、适配器	单工/双工,24 口	水平/主干光缆	主干光缆	主干光缆
	LC 光纤连接器件、适配器	单工/双工,24 口、48 口	水平/主干光缆	主干光缆	主干光缆

注:1 屏蔽大对数电缆使用 8 回线型卡接模块。
  2 在楼层配线设备(FD)处水平侧的电话配线模块主要采用 RJ45 类型的,以适应通信业务的变更与产品的互换性。
  3 每一个机柜出入的光纤数量较大时,为节省机柜的安装空间,也可以采用 LC 高密度(48~144 个光纤端口)的光纤配线架。

3 目前在国际标准《用户建筑通用布线系统》ISO/IEC 11801中,已推荐采用LC光纤连接器件。但根据目前国内布线工程的实际使用情况,本规范仍然保留了SC光纤连接器,推荐在设备间、电信间、集合点等区域使用LC小型光纤连接器件及适配器,以提高机柜的空间利用率。目前小型光纤连接器件(SFF)被布线市场认可的主要有LC、MT-RJ、VF-45、MU和FJ。

4 MPO是基于MT插芯的多芯光纤连接器件,通过阵列完成多芯光纤的连接,MPO型连接器件是由国际标准IEC-61754-7及北美的标准EIA/TIA-604-5,即FOCIS 5标准定义的。目前行业内提及的MTP多芯光纤连接器件是基于MPO连接器件发展而来的,也是MPO连接器件的一种。因此MTP也符合MPO连接器件的标准和规范要求,包括EIA/TIA-604-5 FOCIS 5和IEC-61754-7规定,并且相互之间可以互连。采用预端接光缆系统需要在设计阶段进行现场勘查,确定预端接光缆的长度,以便工厂预定生产。MPO多芯接头有多种规格产品可供选择。

3.4.8 当集合点(CP)配线设备为8位模块通用插座时,CP电缆采用带有单端RJ45插头的产业化产品,更利于保证布线链路的传输性能。

3.4.9 布线产品种类繁多,为了提高传输性能指标,各产品的结构、尺寸及对安装的要求有所不同。例如,电缆的外观有圆形和椭圆形的,其对电缆的敷设与绑扎有不同的要求;又如,在物理带宽比较低时,非屏蔽电缆的外径比屏蔽电缆的外径小;在物理带宽比较高时,非屏蔽电缆的外径会逐渐变大,甚至可能超过屏蔽电缆;不同结构的电缆,其外径也会有不同。

3.5 屏蔽布线系统

随着布线系统的发展,屏蔽布线系统的物理带宽已经超过了非屏蔽布线系统,非屏蔽布线系统的最高产品等级为 6_A 类,屏蔽布线系统的最高产品等级为 7_A 类,目前 8 类的屏蔽布线产品也已投入市场。

针对不同的应用场景,相关的标准也提出了屏蔽布线系统的应用场合。如《公共建筑电磁兼容设计规范》DG/T J 08-1104—2005 规定:"银行、证券交易所的市级总部办公楼、结算中心以及备份中心的计算机网络宜采用屏蔽布线系统。""在医技楼、专业实验室等特殊建筑内必须设置大型电磁辐射发射装置、核辐射装置或电磁辐射较严重的高频电子设备时,计算机网络宜采用屏蔽布线系统。"

在实际工程中应综合平衡价格、性能、施工、测试、维护等诸多因素,选择适当的布线产品。

3.5.1 屏蔽布线系统的选用要求说明如下:

1 电磁兼容通用标准《居住、商业和轻工业环境中的抗扰度试验》GB/T 17799.1—1999 与国际标准草案 77/181/FDIS 及 IEEE802.3—2002 中都认可 3V/m 的指标值。另外,在 EN 50173—2007 中指出:"在工业建筑中,存在着电磁噪声宽频带耦合的途径,电磁干扰的频带可以达到 1Hz~10GHz 以上(含高次谐波)。电磁噪声发生设备所产生的有害基频电磁波,还会产生对通信网络有破坏性作用的谐波(三次谐波)。"

因此在具体工程项目的勘查设计过程中,如用户提出要求或现场环境中存在磁场的干扰,则可以采用电磁骚扰测量接收机测试,或使用现场布线测试仪配备相应的测试模块对模拟的布线链路做测试,在取得相应的数据后,进行分析,作为工程采用产品的依据。具体测试方法应符合测试仪表技术内容要求。

3 电磁干扰的强度取决于两个因素,即距离与电磁噪声发生器产生的能量。参考 EN 50173—2007 标准,表 2 提供了常见电磁噪声发生设备的电磁环境等级(E_1,E_2,E_3)评估及间距要求。

表 2 电磁环境等级与间距要求

电磁噪声发生设备	距布线系统的距离	电磁环境等级
接触器式继电器	＜0.5m	E2
	＞0.5m	E1
无线发射机(＜1W)	＜0.5m	E2～E3
	＞0.5m,且＜3m	E1～E2
	＞3m	E1
无线发射机(1W～3W)	＜0.5m	E3
	＞0.5m,且＜3m	E2～E3
	＞3m	E1
无线发射机(电视台、无线电台、手机基站)	＜1km	E3
高马力电动机	＜3m	E3
	＞3m	E1
电动机控制器	＜0.5m	E3
	＞0.5m,且＜3m	E2
	＞3m	E1
感应式加热器(＜8MW)	＜0.5m	E3
	＞0.5m,且＜3m	E2
	＞3m	E1
电阻式加热器	＜0.5m	E2
	＞0.5m	E1
荧光灯(＜1m)	＜0.5m	E2
	＞0.5m	E1
恒温器开关(110V～230V)	＜0.5m	E2～E3
	＞0.5m	E1

各种电磁干扰设备的环境中添加隔离装置可以减少电磁耦合的能量的影响。表3列出了常见电磁噪声源的耦合途径。

表 3 常见电磁噪声源的耦合途径

电磁噪声发生装置	电磁噪声	耦合途径
电动机	电涌和电快速瞬变(EFT)	局部接地,传导

· 97 ·

续表 3

电磁噪声发生装置	电磁噪声	耦合途径
驱动控制器	传导和电涌	局部接地,传导
继电器和接触器	电快速瞬变	辐射,传导
电焊机	电快速瞬变,感应	磁场辐射
射频感应焊接机	无线电频率	辐射,传导
物流处理(纸张/纺织品类)	静电释放(ESD)	辐射
加热器	电快速瞬变	局部接地,传导,辐射
感应式加热器	电快速瞬变,磁场	局部接地,传导,辐射
无线通信设备	无线电频率	辐射

4 参考《信息技术通用缆线系统》EN 50173 标准,当工作环境温度超过 20℃时,为达到传输性能指标要求,对绞电缆的最大有效长度会有所减少。其中规定屏蔽布线系统的长度温度系数为 0.2%/℃,非屏蔽布线系统的长度温度系数为 0.4%/℃(20℃～40℃)和 0.6%/℃(40℃～60℃)。根据温度系数进行计算,如工作温度为 30℃时,屏蔽对绞电缆的最大有效长度为 87.3m,而非屏蔽对绞电缆的最大有效长度则为 84.6m。

另外,布线系统电缆作为 POE 供电应用时,根据 IEEE802.3AT 提出的要求,每一对线的功耗将会达到 30W,使线对的温度达到 45℃,在此情况下建议采用屏蔽布线系统。

3.5.2 屏蔽电缆可在 F/UTP、U/FTP、SF/UTP、S/FTP 中选择,不同结构的屏蔽电缆会对高频、低频的电磁辐射产生不同的屏蔽效果。对于具有线对屏蔽结构的(如 U/FTP)屏蔽电缆主要可以抵御线对之间的电磁辐射干扰,但是线对屏蔽+电缆总屏蔽结构的(如 S/FTP)屏蔽电缆则可以同时抵御线对之间和来自外部的电磁辐射干扰,也可以减少线对对外部的电磁辐射干扰。因此,屏蔽布线工程有多种形式的电缆可以选择。同时为保证良好屏蔽性能,电缆的屏蔽层与屏蔽连接器件之间必须做好 360°的连接。

3.6 开放型办公室布线系统

3.6.1 由于这些区域的使用对象数量的不确定性和流动性,使得信息点的数量与位置会经常发生变化,常规的布点设计不能够满足用户多次变更的需求,故采用开放型办公室布线系统。

3.6.3 开放型办公室布线系统对配线设备的选用及电缆长度的要求不同于一般的综合布线系统。在 ANSI/UL 1581 中规定,24 号线规(AWG),导体直径的标称值为 0.511mm,实心导体和柔性软导体的最小值为 0.5mm 和 0.506mm,最大值为 0.516mm;26 号线规(AWG),导体直径的标称值为 0.404mm,实心导体和柔性软导体的最小值为 0.396mm 和 0.399mm,最大值为 0.409mm。

3.6.4 CP 点由无跳线的连接器件组成,在电缆与光缆的永久链路中都可以存在。集合点配线箱目前没有定型的产品,但箱体的大小应考虑满足不小于 12 个工作区所配置的信息点所连接的 4 对对绞电缆与光缆的进、出箱体的布线空间和 CP 点光、电配线模块的安装空间。

3.7 工业环境布线系统

工业环境布线系统设计可参照国际标准《工业环境通用布线系统》ISO/IEC 2012 内容。

3.7.2 工业级布线系统产品选用应符合 IP 标准提出的保护要求,国际防护(IP)定级如表 4 所示。

表 4 国际防护(IP)定级

级别编号	IP 编号定义(二位数)[①]			级别编号
	保护级别内容	保护级别内容		
0	没有保护	对于意外接触没有保护,对异物没有防护	对水没有防护	没有防护	0
1	防护大颗粒异物	防止大面积人手接触,防直径大于 50mm 的大固体颗粒	防护垂直下降水滴	防水滴	1

续表 4

级别编号	IP编号定义(二位数)①		级别编号
	保护级别内容	保护级别内容	
2	防护中等颗粒异物	防止手指接触,防止直径大于12mm的中固体颗粒	防止水滴溅射进入(最大15°)	防水滴	2
3	防护小颗粒异物	防止工具、导线或类似物体接触,防护直径大于2.5mm的小固体颗粒	防止水滴(最大60°)	防喷溅	3
4	防护谷粒状异物	防护直径大于1mm的小固体颗粒	防护全方位、泼溅水,允许有限进入	防喷溅	4
5	防护灰尘积垢	有限地防止灰尘	防护全方位泼溅水(来自喷嘴),允许有限进入	防浇水	5
6	防护灰尘吸入	完全阻止灰尘进入,防护灰尘渗透	防护高压喷射或大浪进入,允许有限进入	防水淹	6
—	—	—	可沉浸在水下15cm~1m深度	防水浸	7
—	—	—	可长期沉浸在压力较大的水下	密封防水	8

注:①2位数用来区别防护等级,第1位针对固体物质,第2位针对液体。如IP67级别就等同于防护灰尘吸入和可沉浸在水下15cm~1m深度。

在 ISO/IEC 11801-1 WD.04—2013 标准中还对工业厂房的布线环境提出了分类。特定环境(如对人员产生危害性的核电、化工、火灾、爆炸、盐雾)下的要求在 ISO/IEC TR 29106 标准中体现。分级的具体内容见表5。布线信道在不同的工业环境中的应用等级应注重器件的组合,采用的环境等级应能向下兼容应用,如选用 M2 级别的器件同样应能够支持 M1 级别的应用。目前在我国尚未制定布线环境分级指标参数的相关内容,本规范列出表5与表6的内容仅供参考。布线系统环境分级如表5内容所示。

表 5 布线信道环境分级

项 目	分级		
	典型环境	轻工业环境	恶劣工业环境
机械力等级	M_1	M_2	M_3
入侵等级	I_1	I_2	I_3
气候等级	C_1	C_2	C_3
电磁等级	E_1	E_2	E_3

对于同一个环境等级,布线器件的选择应符合环境 M、I、C、E 的级别所规定的参数要求,见表 6。

表 6 布线环境分级指标参数

项 目	级 别		
	典型环境	轻工业环境	恶劣工业环境
机械力	M_1	M_2	M_3
冲击/碰撞①	—	—	—
最大加速度	$40ms^{-2}$	$100ms^{-2}$	$250ms^{-2}$
振动			
位移幅度(2Hz~9Hz)	1.5mm	7.0mm	15.0mm
加速幅度(9Hz~500Hz)	$5ms^{-2}$	$20ms^{-2}$	$50ms^{-2}$
拉力	②	②	②
挤压变形	45N 25mm(线性)以上	1100N 150mm(线性)以上	2200N 150mm(线性)以上
冲击力	1J	10J	30J
弯曲与扭曲	②	②	②
侵入	I_1	I_2	I_3
悬浮粒子(最大直径)	12.5mm	50μm	50μm
沉浸	—	间歇式液体射流 ≤12.5L/min 射流≥6.3mm 喷洒距离>2.5m	间歇式液体射流 ≤12.5L/min 射流≥6.3mm 喷洒距离>2.5m 沉浸≤1m,≤30min
气候与化学制品	C_1	C_2	C_3
温度	-10℃~+60℃	-25℃~+70℃	-40℃~+70℃
温度变化率	0.1℃/min	1.0℃/min	3.0℃/min
湿度	5%~85%(不结露)	5%~95%(冷凝)	5%~95%(冷凝)

续表 6

项　目	级　别		
	典型环境	轻工业环境	恶劣工业环境
光辐射	700W·m^{-2}	1120W·m^{-2}	1120W·m^{-2}
液体污染③污染物	浓度×10^{-6}	浓度×10^{-6}	浓度×10^{-6}
氯化钠(盐/海水)	0	<0.3	<0.3
油(固体浓缩)(油的类型见②)	0	<0.005	<0.5
硬脂酸钠	—	>5×10^{4}非胶水	>5×10^{4}水基凝胶
清洁剂	—	有待进一步研究	有待进一步研究
导电材料		暂时的	目前的
气体污染③污染物	均值/峰值：浓度×10^{-6}	均值/峰值：浓度×10^{-6}	均值/峰值：浓度×10^{-6}
硫化氢	<0.003/<0.01	<0.05/<0.5	<10/<50
二氧化硫	<0.01/<0.03	<0.1/<0.3	<5/<15
三氧化硫(待研究)	<0.01/<0.03	<0.1/<0.3	<5/<15
湿氯(湿度>50%)	<0.0005/<0.001	<0.005/<0.03	<0.05/<0.3
干氯(湿度<50%)	<0.002/<0.01	<0.02/<0.1	<0.2/<1.0
氯化氢	—/<0.06	<0.06/<0.3	<0.6/<3.0
氟化氢	<0.001/<0.005	<0.01/<0.05	<0.1/<1.0
氨气	<1/<5	<10/<50	<50/<250
氮氧化物	<0.05/<0.1	<0.5/<1.0	<5/<10
臭氧	<0.002/<0.005	<0.025/<0.05	<0.1/<1
电磁	E_1	E_2	E_3
静电放电－接触(0.667μC)	4kV	4kV	4kV
静电放电－空气(0.132μC)	8kV	8kV	8kV
电磁波辐射－调幅	3V/m@(80~1000)MHz 3V/m@(1400~2000)MHz 1V/m@(2000~2700)MHz	3V/m@(80~1000)MHz 3V/m@(1400~2000)MHz 1V/m@(2000~2700)MHz	10V/m@(80~1000)MHz 3V/m@(1400~2000)MHz 1V/m@(2000~2700)MHz
传导性电磁波	3V@150kHz~80MHz	3V@150kHz~80MHz	10V@150kHz~80MHz
电快速瞬变脉冲群(通讯)	500V	500V	1000V
浪涌(瞬间电位差)-信号/线路对地	500V	1000V	1000V

续表6

项目	级别		
	典型环境	轻工业环境	恶劣工业环境
磁场(50/60Hz)	1A·m^{-1}	3A·m^{-1}	30A·m^{-1}
磁场(60Hz~20000Hz)	待研究	待研究	待研究

注：①应考虑经过重复性质冲击的通道。
②该环境分类应该考虑与安装有关的IEC 61918具体要求和相关的器件规范。
③从不同标准,对一个空间,浓度×10^{-6}被作为统一限值。

3.7.3 工业环境布线系统也可以采用传统的3级(配线子系统、干线子系统、建筑群子系统)拓扑结构,在配线子系统水平缆线的路由中可以存在CP点。多个工业环境布线系统的架构见图2。

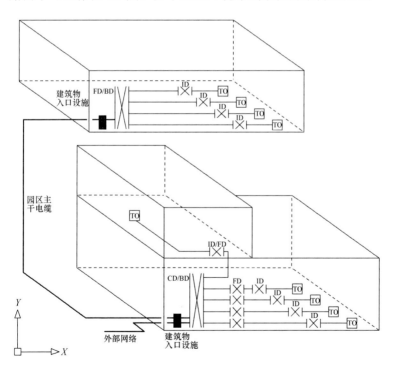

图2 工业环境布线系统架构

3.7.5 在工业环境的布线系统架构中,如果存在ID,则FD处的光纤配线设备可不连接网络设备,而只起到对光纤进行连接的作用。

4 光纤到用户单元通信设施

根据《国务院关于印发"宽带中国"战略及实施方案的通知》国发〔2013〕31号文件要求,我国宽带网络的发展目标为:到2015年,初步建成适应经济社会发展需要的下一代国家信息基础设施。基本实现城市光纤到楼入户、农村宽带进乡入村;到2020年,国民充分享受宽带带来的经济增长、服务便利和发展机遇,宽带网络全面覆盖城乡。我国宽带网络的技术路线为:按照高速接入、广泛覆盖、多种手段、因地制宜的思路,推进接入网建设。城市地区利用光纤到户、光纤到楼等技术方式进行接入网建设和改造,并结合3G/LTE与无线局域网技术,实现宽带网络无缝覆盖。农村地区因地制宜,灵活采取有线、无线等技术方式进行接入网建设。

为了实现"宽带中国"的战略目标,本章针对除住宅以外的民用建筑的光纤到用户单元通信设施工程系统设计提出要求,其设施安装的共性设计要求在本规范第7章体现。

4.1 一般规定

4.1.1 本条为强制性条文,是根据《"宽带中国"战略及实施方案》的目标要求,为加速推进宽带网络建设并保障工程的有效实施而提出的。目前,公用建筑中商住办公楼以及一些自用办公楼将楼内部分楼层或区域出租给相关的公司或企业作为办公场所,而这些出租区域的使用面积、空间划分、区域功能等需求经常会随着租用者的变化而发生改变。同时,对信息通信的业务和带宽的要求比较高的公司或企业用户一般会建设自己的企业级计算机局域网和自用的布线系统,并直接连接至公用通信网的接入系统。对于这类用户使用的建筑物区域，如果按照传统的综合布线系统进行设计，将会出现信息点位置与数量上的偏差，造成原有工作区的布线设备资源的浪费；同时通过楼宇的多级配线或计算机网络与公用通信网互通，不便于用户使用通信业务。本规范提出采用"光纤到用户单元"的方式建设通信设施工程的要求，既能够满足用户对高速率、大带宽的数据及多媒体业务的需要，适应现阶段及将来通信业务需求的快速增长；又可以有效地避免对通信设施进行频繁的改建及扩建；同时为用户自由选择电信业务经营者创造便利条件。

4.1.2 国务院印发的《"宽带中国"战略及实施方案》中提出了明确宽带网络作为国家公共基础设施的法律地位；规范宽带市场竞争行为，保障公共服务区域的公平进入；将宽带网络建设纳入各地城乡规划、土地利用总体规划；加强宽带网络设施与城市其他通信管线、居住区、公共建筑等管线的协调等政策措施，加强战略引导和总体部署。

根据原信息产业部和原建设部联合发布的《关于进一步规范住宅小区及商住楼通信管线及通信设施建设的通知》（信部联规〔2007〕24号）的要求，"房地产开发企业、项目管理者不得就接入和使用住宅小区和商住楼内的通信管线等通信设施与电信运营企业签订垄断性协议，不得以任何方式限制其他电信运营企业的接入和使用，不得限制用户自由选择电信业务的权利"。

因此本规范将本条作为强制性条文，在工程建设中要求严格执行和审查。

4.1.3 本条为强制性条文，必须严格执行。光纤到用户单元通信设施作为基础设施，工程建设由电信业务经营者与建筑建设方共同承建。为了保障通信设施工程质量，由建筑建设方承担的通信设施工程建设部分，在工程建设前期应与土建工程统一规划、设计，在施工、验收阶段做到同步实施，以避免多次施工对建筑和用户造成的影响。

4.1.5 用户接入点的设定是为了解决工程实施的交叉与复杂性,使得工程的建设界面划分更加具有可操作性。用户接入点为多家电信业务经营者共同接入及用户自由选择电信业务经营者的部位,也是电信业务经营者与建筑物建设方的工程分界点。

　　3 用户接入点配线设备的 2 种连接方式可参见图 3、图 4。

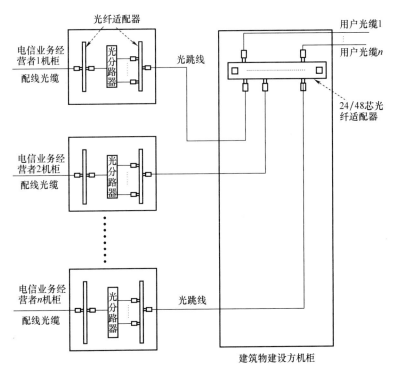

图 3 用户接入点连接示意图(采用机柜安装方式)

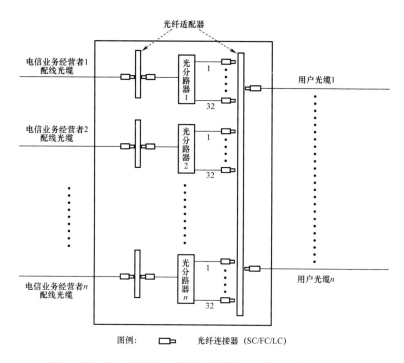

图4 用户接入点连接示意图(采用共用光缆配线箱安装方式)

4.1.6 地下通信管道应与园区内地下综合管线及道路同步建设。

4.2 用户接入点设置

4.2.2 光纤用户接入点的位置依据不同类型的建筑形成的配线区以及所辖的用户数确定。

1 举例说明:假设某一建筑物的大部分楼层或整体作为出租性质的办公楼。以建筑物楼层的1个柱跨度涵盖的面积作为1个用户单元占有的区域,如柱跨度为10m×10m,则涵盖的范围大约可为100m^2。再以1个光纤配线区可以容纳300个用户单元测算,1个光纤配线区可以覆盖的建筑面积大约为30000m^2,共30层楼。图4.2.2-1中,建筑物设备间或通信业务机房是提供给多家电信业务经营者和建筑物建设方安装机柜使用的。电信业务经营者机柜内可以安装配线光缆连接的光纤配线模块、光分路器和光纤跳线,建筑物建设方机柜内可以安装用户光缆引入连接的配线模块。按以上建筑每一层为案例,如果每一楼层用户单元占有的建筑面积为1000m^2,每100m^{2}作为一个用户单元的区域,则每层共有10个用户单元。以此说明器件的配置思路。

(1)用户单元信息配线箱:每一个用户单元配置1个,每层共需要10个。

(2)用户光缆:

①按每一个用户单元配置1根2芯光缆(低配置)或2根2芯光缆(高配置);

②用户单元信息配线箱至楼层光纤配线箱之间的水平用户光缆(G.657光纤)为每层10根或20根2芯光缆;

③用户单元信息配线箱至建筑物用户接入点设备间配线设备之间的垂直用户光缆按照水平用户光缆光纤的总容量(20芯或40芯),加上适量(如10%)的光纤备份(取2芯或4芯),及光缆的规格配置,则每层需要1根24芯或1根48芯用户光缆(G.652光纤)。

(3)楼层光缆配线箱:仅仅作为用户光缆光纤熔接与盘留的场所,不具备跳线管理的功能,可以嵌壁或墙挂的方式安装在楼层的综合布线系统使用的电信间或弱电间内。每一个楼层光缆配线箱空间需满足10根或20根2芯用户光缆的引入和1根24芯或1根48芯用户光缆引出、光纤的熔接与盘留的需要。

(4)设备间配线机柜(建筑物建设方使用):

①对一个建筑物需要满足30根24芯或48芯用户光缆引入与盘留和720个或1440个光纤连接器尾纤的熔接安装的需要;

②光纤配线架(如每一个光纤配线架采用24个SC或48个LC光纤适配器):考虑到每一个用户单元与电信业务经营者提供的EPON系统之间实际上只需要通过1芯光纤完成互通的情况,光纤配线机柜一共需要安装15个24个SC端口或8个48个LC

端口的光纤配线架。当用户单元需要接入不同电信业务经营者提供的业务时,则需要通过2芯光纤实现对2个电信业务经营者的互通,此时的光纤端口数量应满足工程要求。

2 举例说明:假设有一栋100层,高度为500m,建筑面积为150000m²的超高层建筑物。其中第11层～第40层(30层)作为出租性质的房屋,需要提供"光纤到用户单元"的功能。如每一层的建筑面积为1500m²,每一个用户单元为60m²,则每一层有25个用户单元;按照约300个用户单元设置1个光纤配线区(用户接入点),该建筑需要设置3个光纤配线区(用户接入点),每10个楼层设置1个共用楼层设备间(可在15层、25层、35层分别设置)。

设于建筑物楼层的光纤到用户单元系统设备间为多家电信业务经营者共同使用。

3 当单栋建筑物规模不大或用户单元的容量达不到1个光纤配线区容纳的用户数量时,可由多个单栋的建筑物的用户单元区域组成1个光纤配线区。此时,用户接入点可以设置在物业管理中心业务机房,或建筑群中心位置的某一栋建筑物综合布线系统设备间,为了便于运维并保障通信的安全畅通,应分隔出一个独立的空间安装光纤配线设备,也可以安装在通信业务机房内。

在上述情况下,用户光缆会有一部分敷设在园区的地下通信管道中,用户接入点引出的室外用户光缆通过地下通信管道引入至每一栋建筑物的进线间或设备间的光缆配线箱,在此处只对用户光缆做成端或接续。

4.3 配 置 原 则

4.3.6 配线设备安装采用4个600mm宽机柜时,设备间尺寸为4.0×2.5m,面积为10m²。如果采用4个800mm宽机柜时,设备间尺寸为5.0m×3.0m,则面积为15m²。当设备间还需安装通信设备或入口设施时,应相应地扩大其尺寸,以满足设备安装的工艺要求。

4.4 缆线与配线设备的选择

4.4.4 用户接入点设置在设备间时,共安装4个19"标准机柜。其中3个机柜为电信业务经营者使用,每家电信业务经营者使用1个机柜,机柜满足配线光缆与光纤跳线的引入、配线光缆光纤的终接与盘留、光纤配线模块与光纤分路器的安装及理线的需要。1个机柜由建筑物建设方提供,满足用户光缆与光纤跳线的引入、用户光缆光纤的终接与盘留、光纤配线模块的安装及理线的需要。电信业务经营者与建筑物建设方机柜的光纤配线模块之间通过光跳线互通。

共用配线箱则应分隔成为4个独立的空间,其中3个空间分别满足3家电信业务经营者的配线光缆的引入、配线光缆光纤的终接与盘留、光纤配线模块与光纤分路器的安装及理线的需要。1个空间满足用户光缆的引入、用户光缆光纤的终接与盘留、光纤配线模块的安装及理线的需要。

本规范中机柜或箱体的安装空间是按照使用1∶64分光比的光纤分路器进行估算的。

4.4.5 本条对用户单元信息配线箱的配置做出了规定。

2 信息配线箱内可以安装光网络单元/光网络终端(ONU/ONT)、用户电话集线器或交换机、以太网交换机、光电配线模块、有线电视分配器等设施。

4.5 传 输 指 标

4.5.1 典型场景下,光缆长度在5km以内时,分光比应采用1∶64,最大全程衰减不大于28dB。本规范中所指"光纤链路"只是体现无源光网络中光线路终端(OLT)至光网络终端(ONU)全程光纤链路中的其中一段,即用户接入点光纤连接器件通过用户光缆至用户单元信息配线箱一端的光纤连接器件。一般情况下,用户光缆的长度不会超过500m。

5 系统配置设计

综合布线系统在进行系统配置设计时,应充分考虑用户近期和远期的实际需要与发展,使之具有通用性和灵活性,尽量避免布线系统投入正常使用后,在较短的时间内又要进行扩建与改建,造成资金浪费。工程设计中除确定布线系统整体构架、等级分类、达到的性能指标等要求,还应满足不同类型建筑物的功能及设备安装工艺要求,并应按照用户的个性化需求选择与配置相应的布线产品。

一般来说,布线系统的水平配线子系统为布线系统的永久链路部分,缆线敷设采用隐蔽方式的情况较多,安装完毕后,不易产生变更,应以远期需要为主;垂直干线子系统的缆线安装环境多为弱电竖井,数量较少,施工方便,应以近期实用为主。

下面以一个工程实例来说明设备与缆线的配置。例如建筑物的某一层共设置了200个信息点,计算机网络与电话各占50%,即各为100个信息点。

(1)电话部分:

1)FD水平侧配线模块按连接100根4对的水平电缆配置;

2)语音主干电缆的总对数按水平电缆总对数的25%计,为100对线的需求;如考虑10%的备份线对,则语音主干电缆总对数需求量为110对;

3)FD干线侧配线模块可按卡接大对数主干电缆110对端子容量配置。

(2)数据部分:

1)FD水平侧配线模块按连接100根4对的水平电缆配置;

2)数据主干缆线:通常以每1个SW为24个端口计,100个数据信息点需设置5个SW;以每一台SW(24个端口)设置1个主干端口,另加上 1 个备份端口,共需设置 10 个主干端口。如主干缆线采用 4 对对绞电缆,每个主干电端口按 1 根 4 对对绞电缆考虑,则共需 10 根 4 对对绞电缆;如主干缆线采用光缆,每个主干光端口按 2 芯光纤考虑,则光纤的需求量为 20 芯。

3)FD 干线侧配线模块可根据主干 4 对对绞电缆或主干光缆的总容量加以配置。

配置数量计算得出以后,再根据电缆、光缆、配线模块的类型、规格加以选用,做出合理配置。

上述配置的基本思路,用于计算机网络的主干缆线,可采用光缆;用于电话的主干缆线则采用大对数对绞电缆,并考虑适当的备份,以保证网络安全。由于工程的实际情况比较复杂,设计时还应结合工程的特点和需求加以调整应用。

5.1 工 作 区

5.1.2 目前建筑物的功能类型较多,因此对工作区面积的划分应根据应用的场合作具体的分析后确定,工作区面积需求一般可参照表 7 所示内容。

表 7 工作区面积划分表

建筑物类型及功能	工作区面积(m^2)
网管中心、呼叫中心、信息中心等座席较为密集的场地	3～5
办公区	5～10
会议、会展	10～60
商场、生产机房、娱乐场所	20～60
体育场馆、候机室、公共设施区	20～100
工业生产区	60～200

注:1 如果终端设备的安装位置和数量无法确定,或使用场地为大客户租用并考虑自行设置计算机网络,工作区的面积可按区域(租用场地)面积确定。

2 对于 IDC 机房(数据通信托管业务机房或数据中心机房),可按生产机房每个机架的设置区域考虑工作区面积。此类项目涉及数据通信设备安装工程设计,应单独考虑实施方案。

为了满足不同功能与特点的建筑物的需求,综合布线系统工作区面积划分与信息点配置数量也可参照表8~表18的内容。

表8 办公建筑工作区面积划分与信息点配置

项 目		办公建筑	
		行政办公建筑	通用办公建筑
每一个工作区面积(m²)		办公:5~10	办公:5~10
每一个用户单元区域面积(m²)		60~120	60~120
每一个工作区信息插座类型与数量	RJ45	一般:2个,政务:2个~8个	2个
	光纤到工作区 SC或LC	2个单工或1个双工或根据需要设置	2个单工或1个双工或根据需要设置

表9 商店建筑和旅馆建筑工作区面积划分与信息点配置

项 目		商店建筑	旅馆建筑
每一个工作区面积(m²)		商铺:20~120	办公:5~10,客房:每套房,公共区域:20~50,会议:20~50
每一个用户单元区域面积(m²)		60~120	每一个客房
每一个工作区信息插座类型与数量	RJ45	2个~4个	2个~4个
	光纤到工作区 SC或LC	2个单工或1个双工或根据需要设置	2个单工或1个双工或根据需要设置

表10 文化建筑和博物馆建筑工作区面积划分与信息点配置

项 目	文化建筑			博物馆建筑
	图书馆	文化馆	档案馆	
每一个工作区面积(m²)	办公阅览:5~10	办公:5~10,展示厅:20~50,公共区域:20~60	办公:5~10,资料室:20~60	办公:5~10,展示厅:20~50,公共区域:20~60
每一个用户单元区域面积(m²)	60~120	60~120	60~120	60~120

续表 10

项　　目		文化建筑			博物馆建筑
		图书馆	文化馆	档案馆	
每一个工作区信息插座类型与数量	RJ45	2个	2个～4个	2个～4个	2个～4个
	光纤到工作区 SC 或 LC	2个单工或1个双工或根据需要设置	2个单工或1个双工或根据需要设置	2个单工或1个双工或根据需要设置	2个单工或1个双工或根据需要设置

表 11　观演建筑工作区面积划分与信息点配置

项　　目		观演建筑		
		剧场	电影院	广播电视业务建筑
每一个工作区面积(m²)		办公区:5～10,业务区:50～100	办公区:5～10,业务区:50～100	办公区:5～10,业务区:5～50
每一个用户单元区域面积(m²)		60～120	60～120	60～120
每一个工作区信息插座类型与数量	RJ45	2个	2个	2个
	光纤到工作区 SC 或 LC	2个单工或1个双工或根据需要设置	2个单工或1个双工或根据需要设置	2个单工或1个双工或根据需要设置

表 12　体育建筑和会展建筑工作区面积划分与信息点配置

项　　目		体育建筑	会展建筑
每一个工作区面积(m²)		办公区:5～10,业务区:每比赛场地(记分、裁判、显示、升旗等)5～50	办公区:5～10,展览区:20～100,洽谈区:20～50,公共区域:60～120
每一个用户单元区域面积(m²)		60～120	60～120
每一个工作区信息插座类型与数量	RJ45	一般:2个	一般:2个
	光纤到工作区 SC 或 LC	2个单工或1个双工或根据需要设置	2个单工或1个双工或根据需要设置

表 13　医疗建筑工作区面积划分与信息点配置

项　　目		医　疗　建　筑	
		综合医院	疗养院
每一个工作区面积(m²)		办公:5~10,业务区:10~50,手术设备室:3~5,病房:15~60,公共区域:60~120	办公:5~10,疗养区域:15~60,业务区:10~50,养员活动室:30~50,营养食堂:20~60,公共区域:60~120
每一个用户单元区域面积(m²)		每一个病房	每一个疗养区域
每一个工作区信息插座类型与数量	RJ45	2个	2个
	光纤到工作区 SC 或 LC	2个单工或1个双工或根据需要设置	2个单工或1个双工或根据需要设置

表 14　教育建筑工作区面积划分与信息点配置

项　　目		教　育　建　筑		
		高等学校	高级中学	初级中学和小学
每一个工作区面积(m²)		办公:5~10,公寓、宿舍:每一套房/每一床位,教室:30~50,多功能教室:20~50,实验室:20~50,公共区域:30~120	办公:5~10,公寓、宿舍:每一床位,教室:30~50,多功能教室:20~50,实验室:20~50,公共区域:30~120	办公:5~10,教室:30~50,多功能教室:20~50,实验室:20~50,公共区域:30~120,宿舍:每一套房
每一个用户单元区域面积(m²)		公寓	公寓	—
每一个工作区信息插座类型与数量	RJ45	2个~4个	2个~4个	2个~4个
	光纤到工作区 SC 或 LC	2个单工或1个双工或根据需要设置	2个单工或1个双工或根据需要设置	2个单工或1个双工或根据需要设置

表 15 交通建筑工作区面积划分与信息点配置

项 目		交 通 建 筑			
		民用机场航站楼	铁路客运站	城市轨道交通站	汽车客运站
每一个工作区面积(m^2)		办公区:5~10,业务区:10~50,公共区域:50~100,服务区:10~30	办公区:5~10,业务区:10~50,公共区域:50~100,服务区:10~30	办公区:5~10,业务区:10~50,公共区域:50~100,服务区:10~30	办公区:5~10,业务区:10~50,公共区域:50~100,服务区:10~30
每一个用户单元区域面积(m^2)		60~120	60~120	60~120	60~120
每一个工作区信息插座类型与数量	RJ45	一般:2个	一般:2个	一般:2个	一般:2个
	光纤到工作区 SC 或 LC	2个单工或1个双工或根据需要设置	2个单工或1个双工或根据需要设置	2个单工或1个双工或根据需要设置	2个单工或1个双工或根据需要设置

表 16 金融建筑工作区面积划分与信息点配置

项 目		金融建筑
每一个工作区面积(m^2)		办公区:5~10,业务区:5~10,客服区:5~20,公共区域:50~120,服务区:10~30,
每一个用户单元区域面积(m^2)		60~120
每一个工作区信息插座类型与数量	RJ45	一般:2个~4个,业务区:2个~8个
	光纤到工作区 SC 或 LC	4个单工或2个双工或根据需要设置

表 17 住宅建筑工作区面积划分与信息点配置

项 目		住宅建筑
每一个房屋信息插座类型与数量	RJ45	电话:客厅、餐厅、主卧、次卧、厨房、卫生间:1个,书房:2个 数据:客厅、餐厅、主卧、次卧、厨房:1个,书房:2个
	同轴	有线电视:客厅、主卧、次卧、书房、厨房:1个
	光纤到桌面 SC 或 LC	根据需要,客厅、书房:1个双工
光纤到住宅用户		满足光纤到户要求,每一户配置一个家居配线箱

表 18 通用工业建筑工作区面积划分与信息点配置

项 目		通用工业建筑
每一个工作区面积(m^2)		办公:5～10,公共区域:60～120,生产区:20～100
每一个用户单元区域面积(m^2)		60～120
每一个工作区信息插座类型与数量	RJ45	一般:2个～4个
	光纤到工作区 SC 或 LC	2个单工或1个双工或根据需要设置

5.2 配线子系统

5.2.4 由于建筑物用户性质不一样,其功能要求和业务需求也不一样,尤其是对于专用建筑(如电信、金融、体育场馆、博物馆等建筑)及计算机网络存在内、外网等多个网络时,更应加强需求分析,做出合理的配置。

每个工作区信息点数量可按用户的性质、网络构成和需求来确定。表19作了一些分类,仅提供设计者参考。各类功能建筑物的工作区信息点配置可参照表8～表18中的内容。

表 19 信息点数量配置

建筑物功能区	信息点数量(每一工作区)			备 注
	电 话	数 据	光纤(双工端口)	
办公区(基本配置)	1个	1个	—	—
办公区(高配置)	1个	2个	1个	对数据信息有较大的需求
出租或大客户区域	2个或2个以上	2个或2个以上	1个或1个以上	指整个区域的配置量
办公区(政务工程)	2个～5个	2个～5个	1个或1个以上	涉及内、外网络时

注:对出租的用户单元区域可设置信息配线箱,工作区的用户业务终端通过电信业务经营者提供的ONU设备直接与公用电信网互通。大客户区域也可以为公共设施的场地,如商场、会议中心、会展中心等。

5.2.6 1条4对对绞电缆应全部固定终接在1个8位模块通用插座上。不允许将1条4对对绞电缆的线对终接在2个或2个以上8位模块通用插座。

5.2.9 根据现有产品情况,配线模块可按以下原则选择:

(1)多线对端子配线模块可以选用4对或5对卡接模块,每个卡接模块应卡接1根4对对绞电缆。一般100对卡接端子容量的模块可卡接24根(采用4对卡接模块)或卡接20根(采用5对卡接模块)4对对绞电缆。

(2)25对端子配线模块可卡接1根25对大对数电缆或6根4对对绞电缆。

(3)回线式配线模块(8回线或10回线)可卡接2根4对对绞电缆或8/10回线。回线式配线模块的每一回线可以卡接1对入线和1对出线。回线式配线模块的卡接端子可以为连通型、断开型和可插入型三种不同的类型。一般在CP处可选用连通型,在需要加装过压过流保护器时采用断开型,可插入型主要使用于断开电路作检修的情况下,布线工程中无此种应用。

(4)RJ45配线架(由24个或48个8位模块通用插座组成)的每1个RJ45插座应可卡接1根4对对绞电缆。

(5)光纤连接器件每个单工端口应支持1芯光纤的终接,双工端口则支持2芯光纤的终接。

5.2.10 各配线设备跳线可按以下原则选择与配置:

(1)电话跳线按每根1对或2对对绞电缆容量配置,跳线两端连接插头采用IDC(110)型或RJ45型。

(2)数据跳线按每根4对对绞电缆配置,跳线两端连接插头采用IDC(110)型或RJ45型。

(3)光纤跳线按每根1芯或2芯光纤配置,光纤跳线连接器件采用SC型或LC型。

5.3 干线子系统

5.3.5 主干电缆和光缆所需的容量要求及配置说明如下:

1 如语音信息点8位模块通用插座连接ISDN用户终端设

备,并采用 S 接口(4 线接口)时,相应的主干电缆则应按 2 对线配置。

5.3.6 本条说明如下:

3 引入缆线包括进线间安装的综合布线系统入口设施的引入缆线,或不少于 3 家电信业务经营者的引入光缆,或园区弱电系统引入缆线。

5.6 管理系统

5.6.1 综合布线系统管理是针对设备间、电信间和工作区的配线设备、缆线等设施,按一定的模式进行标识和记录。内容包括管理方式、标识、色标、连接等。这些内容的实施将给今后维护和管理带来很大的方便,有利于提高管理水平和工作效率。特别是信息点数量较大和系统架构较为复杂的综合布线系统工程,如采用计算机进行管理,其效果将十分明显。

应采用色标区分干线缆线、配线缆线或设备端口等综合布线的各种配线设备种类。同时,还应采用标签表明终接区域、物理位置、编号、容量、规格等,以便维护人员在现场和通过维护终端设备一目了然地加以识别。

5 测试的记录文档内容可包括测试指标参数、测试方法、测试设备类型和制造商、测试设备编号和校准状态、采用的软件版本、测试线缆适配器的详细信息(类型和制造商,相关性能指标)、测试日期、测试相关的环境条件及环境温度等。

5.6.2 综合布线系统使用的标签可采用粘贴型和插入型。缆线的两端应采用不易脱落和磨损的不干胶条标明相同的编号。

5.6.3 智能配线设备目前应用的技术有多种,在工程设计中应考虑到系统设备的功能、容量与配置、管理范围与模式、组网方式、管理软件、安装方式、工程投资等诸方面的因素,合理地加以选用。

6 性能指标

6.1 缆线与连接器件性能指标

6.1.2 对绞电缆性能指标与电缆的命名方式可参照国际标准《用户建筑通用布线系统》ISO/IEC 11801—2010.4 相关内容。

综合布线系统推荐的电缆统一命名方法使用 XX/Y/ZZ 编号表示。

XX 表示电缆整体结构（U 为非屏蔽、F 为箔屏蔽、S 为编织物屏蔽、SF 为编织物+箔屏蔽），Y 为线对屏蔽状况（U 为非屏蔽，F 为箔屏蔽），ZZ 为线对状态（TP 为两芯对绞线对、TQ 为四芯对绞线对）。

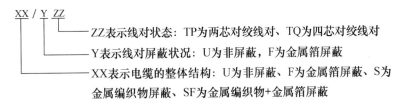

按照此规定，电缆可以分为 8 种类型：U/UTP、F/UTP、U/FTP、SF/UTP、S/FTP、U/UTQ、U/FTQ 及 S/FTQ。

6.1.3 本条对对绞电缆连接器件基本电气特性做出了规定。

3 导线线径小于 0.5mm 或大于 0.65mm 时，应考虑与连接器件的兼容。

5 1）线对支持的业务应用：

568A 连接图：

1#对（蓝）普通电话；

1#对（蓝）BRI(2B+D)U 接口 ISDN（综合业务数字网）；

1♯、2♯对(蓝-橙)BRI(2B+D)S/T接口 ISDN(综合业务数字网);

3♯、4♯对(绿-棕)56bit/s、64Kbit/s 传输速率接口;

1♯、3♯对(蓝-绿)E1/T1(2Mbit/s、155Mbit/s 传输速率接口);

2♯、3♯对(橙-绿)10M/100M(以太网接口)。

568B 连接图:

1♯对(蓝)普通电话;

1♯对(蓝)BRI(2B+D)U 接口 ISDN(综合业务数字网);

1♯、3♯对(蓝-绿)BRI(2B+D)S/T接口 ISDN(综合业务数字网);

2♯、4♯对(橙-棕)56bit/s、64Kbit/s 传输速率接口;

1♯、2♯对(蓝-橙)E1/T1(2Mbit/s、155Mbit/s 传输速率接口);

2♯、3♯对(橙-绿)10M/100M(以太网接口)。

2)需要说明的是,7 类布线系统的插座采用非 RJ45 连接方式。图 6.1.3-2 插座连接方式符合 IEC 60603-7 标准的描述,插座使用插针 1、2、3、4、5、6、7 和 8 时,能够支持 5 类、6 类和 6_A 类布线应用,使用插针 1、2、3′、4′、5′、6′、7 和 8 时,能够支持 7 类和 7_A 类布线应用。图 6.1.3-3 符合 IEC 61076-3-104 标准的模块连接图要求,模块可以使用转换跳线兼容 IEC 60603-7 标准类型模块。

6 连接器件性能指标应符合相关的标准要求,对应的标准如表 20 所示。

表 20 连接器件对应标准

布线系统类别	符合的标准
3 类非屏蔽布线系统	IEC 60603-7
3 类屏蔽布线系统	IEC 60603-7-1
5 类非屏蔽布线系统	IEC 60603-7-2

续表 20

布线系统类别	符合的标准
5类屏蔽布线系统	IEC 60603－7－3
6类非屏蔽布线系统	IEC 60603－7－4
6类屏蔽布线系统	IEC 60603－7－5
6_A类非屏蔽布线系统	IEC 60603－7－41
6_A类屏蔽布线系统	IEC 60603－7－51
7类屏蔽布线系统	IEC 60603－7－7
7_A类屏蔽布线系统	IEC 60603－7－71、IEC 61076－3－104 或 IEC 61076－3－110 等

6.2 系统性能指标

6.2.1 本条规定的性能指标参数的计算公式、指标值与说明详见国际标准《用户建筑通用布线系统》ISO/IEC 11801—2008.4 与 ISO/IEC 11801—2010.4 的内容。

7 安装工艺要求

7.1 工 作 区

7.1.1 若无特殊设计要求,前期施工的预埋管和 86 系列底盒需相匹配。光纤模块安装采用深底盒以保证光纤的预留长度和弯曲半径。

7.2 电 信 间

7.2.3 电信间主要为楼层安装配线设备(为机柜、机架、机箱等)和楼层信息通信网络系统设备的场地,并应在该场地内设置缆线竖井、等电位接地体、电源插座、UPS 电源配电箱等设施。通常大楼电信间内还需设置安全技术防范、消防报警、广播、有线电视、建筑设备监控等其他弱电系统设备,以及光纤配线箱、无线信号覆盖系统等设备的布缆管槽、功能模块及柜、箱的安装。如上述设施安装于同一场地,亦称为弱电间。

7.2.6 一般情况下,综合布线系统的配线设备和计算机网络设备采用 19″标准机柜安装。机柜尺寸通常为 600mm(宽)×600mm(深)×2000mm(高),共有 42U 的安装空间。机柜内可安装光纤连接盘、RJ45(24 口)配线模块、多线对卡接模块(100对)、理线架、以太网交换机设备等。如果按建筑物每层电话和数据信息点各为 200 个考虑配置上述设备,大约需要有 2 个 19″(42U)的机柜空间,以此测算电信间面积不应小于 $5m^2$($2.5m×2.0m$)。布线系统设置内、外网或弱电专用网时,19″机柜应分别设置,并在保持一定间距或空间分隔的情况下预测电信间的面积。目前,高密度配线架的推出对理线空间有了更高的要求,800mm(宽)的 19″机柜已被广泛应用。此时,需要增加电信间的面积。

7.2.7 电信间的温、湿度按配线设备要求提出,如在机柜中安装计算机网络设备等有源设备,环境也应满足有源设备提出的安装工艺要求。温、湿度条件的保证措施由空调专业负责解决。设备安装工艺要求应执行相关规范的规定。

7.2.8 电信间外开的防火门等级应按建筑物等级类别设定,特别是对超高层和250m以上的建筑。通常电信间防火门采用乙级及以上等级的防火门。房门净尺寸宽度应满足净宽600mm～800mm的机柜搬运通过的要求。

7.3 设 备 间

7.3.2 设备间是建筑物的电话交换机设备和计算机网络设备,以及配线设备(BD)安装的地点,也是进行网络管理的场所。对综合布线工程设计而言,设备间主要安装总配线设备。当信息通信设施与配线设备分别设置设备间时,考虑到设备电缆有长度限制及各系统设备运行维护的要求,设备间之间的距离不宜相隔太远。

7.3.3 本条规定的使用面积不包括程控用户交换机、计算机网络设备等设施所需的面积在内。如果1个设备间以$10m^2$(2.5m×4.0m)计,大约能安装5个600mm宽度的19″机柜。在机柜中安装电话大对数电缆多对卡接式模块、数据主干缆线光/电配线架、理线架等,大约能支持总量为6000个信息点所需(其中电话和数据信息点各占50%)的建筑物配线设备安装空间。设备间的面积确定同样需考虑机柜尺寸因素,如采用800mm宽度的19″机柜,则需要增加设备间的面积。

7.3.5 有害气体指氯、碳水化合物、硫化氢、氮氧化物、二氧化碳等。灰尘粒子应是不导电的、非铁磁性和非腐蚀性的。

7.3.6 设备间如果安装有源的信息通信设施或其他有源设备,设备供电应符合相应的设计要求。

7.4 进 线 间

7.4.3 进线间因涉及因素较多,难以统一提出具体所需面积,可根据建筑物实际情况,并参照通信行业和国家的现行标准要求进行设计,本规范只提出原则要求。

7.4.4 进线间设于建筑物的地下一层,主要有利于外部地下管道与缆线的引入。对洪涝多发地区,为了保障通信设施的安全及通信畅通,也可以设于建筑物的首层。

    1 外部缆线宜从两个不同的地下管道路由引入进线间,有利于路由的安全及与外部管道的沟通。进线间与建筑物红线范围内的人孔或手孔之间采用管道或通道的方式互连。

7.5 导管与桥架安装

7.5.1 常用的布线导管包括金属导管(钢管和电线管)、可弯曲金属导管、中等机械应力以上刚性塑料导管和混凝土管孔等。常用的布线桥架包括金属电缆槽盒(封闭可开启)、中等机械应力以上刚性塑料槽盒、地面槽盒(金属封闭式或中等机械应力以上刚性塑料)、网格电缆桥架(信息机房内高位明敷)等。

    导管或桥架的性能、规格和材质的选取应保障其具有一定的承重、抗弯曲、抗冲击能力。

    导管或桥架应安装于干燥位置,潮湿或对金属有严重腐蚀的场所不宜采用金属导管,或采用金属导管但管材表面增加防腐措施,如采用双层金属层外敷聚氯乙烯护套的防水型可弯曲金属电气导管明敷于潮湿场所或暗敷于墙体、混凝土地面、楼板垫层或现浇钢筋混凝土楼板内。

    具有酸碱腐蚀性介质的场所宜选用刚性塑料导管(槽)或铝制槽盒,但在高温和易受机械损伤的场所不宜采用明敷设。暗敷于墙内或混凝土板内的刚性塑料导管应选用抗压、抗冲击及弯曲等性能达到中等机械应力以上的非火焰蔓延型塑料导管。

7.5.4 穿越建筑结构的伸缩缝、沉降缝、变形缝等土建连接缝的导管或桥架,会因温度、承载等引起结构变形,应考虑导管或桥架的软连接线或伸缩节等部位的冗余量长度,其连接的做法应依据土建构造并满足施工安装、检修、维护方便及建筑美观等要求,布放与使用过程应对缆线无实质损害。

7.5.5 为减轻导管或槽盒的抗压、抗弯曲要求,尽量不要穿越设备基础敷设;当穿越建筑物基础时,应核算分析保护措施的可行性。其抗压、抗弯曲性能必须达到建筑物沉降的要求,并确保缆线不会因受沉降影响而损坏。

7.5.12 过线盒也可以称为拉线盒,通常使用于布放缆线数量较少的路由。可用于牵引缆线与缆线盘留,但不可以用于接续缆线。

7.5.13 引出部分留有一定的长度可防止混凝土在建筑过程中进入导管中,缆线布放完成后,管口可使用防火材料封堵。

7.6 缆线布放

7.6.1 工程中选用缆线的类型(室内型、室外型、室内外型)、外径尺寸(如同类别的非屏蔽电缆与屏蔽电缆直径的差异)、结构(护套形式与材质、屏蔽层方式、中心加强件材质、填充物等)对缆线敷设的方式和场地要求会产生很大的影响。

　　2 干线子系统垂直通道有下列三种方式可供选择:

　　(1)电缆孔方式,通常用一根或数根外径63mm～102mm的金属管预埋在楼板内,金属管高出地面25mm～50mm,也可直接在楼板上预留一个大小适当的长方形孔洞,孔洞一般不大于600mm×400mm(也可根据工程实际情况确定)。

　　(2)导管或桥架方式,包括明导管或暗导管或桥架敷设。

　　(3)电缆竖井方式,在新建工程中,推荐使用电缆竖井的方式。

7.6.2 敷设建筑群之间的缆线所需管道管孔的数量、尺寸及电缆沟尺寸需考虑:建筑物的类型和用途、支持的应用业务、期望的扩展规模、将来添加管道的施工难度、引入建筑物入口位置与场景条件、拟敷设的缆线类型、数量和尺寸等因素。

7.6.3 本条对明敷缆线要求做出了规定。

　　3 当相关标准未明确间距要求或间距达不到标准的要求时，应根据绝缘、隔热、防冻等防护需要采取相应的保护隔离措施。

　　4 建筑物外墙垂直敷设的缆线，通常距地 1.8m 以下的部分采用钢导管保护。

7.6.4 屏蔽对绞电缆的直径和硬度一般会大于非屏蔽电缆，而且不同的屏蔽对绞电缆的屏蔽层的层数、材料和屏蔽形式等各有不同，因此在设计缆线的弯曲半径时应考虑这些因素。

7.6.5 缆线的类型包括大对数屏蔽与非屏蔽电缆（25 对、50 对、100 对），4 对对绞屏蔽与非屏蔽电缆及多模和单模光缆（2 芯至 24 芯）等。6 类及以上级别的缆线和屏蔽缆线因构成的方式较复杂，电缆的直径与硬度有较大的差异。如电缆的外形可为"圆"和"椭圆"形，线对又有"十"字和"一"字的隔离方式等；有的 6 类电缆在布放时为减少对绞电缆之间串音对传输信号的影响，不要求完全做到平直和均匀，甚至可以不绑扎。因此对布线系统管线的利用率提出了较高要求，在设计管线时，应充分考虑各种因素。

　　5 缆线的占空比会直接影响到施工的质量与网络的正常运行，应根据项目特点考虑未来发展需要，特别是采用槽盒方式布线时，应预留一定的冗余量。为了保证水平电缆的传输性能，以及成束缆线在槽盒中或弯角处布放不会产生溢出的现象，故提出了线槽利用率应在 30%～50% 的范围。

7.6.7 缆线布放路由中增加电缆导体或光纤的连接点，将会导致综合布线系统的永久链路和信道的传输指标达不到规范的规定与要求，而且不利于布线系统的运行与维护。因此规范要求敷设缆线的路由中不应存在连接点。

7.7　设备安装设计

7.7.1 19″机柜的宽度为 600mm 或 800mm，深度为 600mm～

1200mm。机柜的高度与内部设备可占有空间的关系为：机柜2000mm 高，占 42U 空间；1800mm 高，占 37U 空间；1600mm 高，占 32U 空间；1400mm 高，占 27U 空间；650mm 高，占 12U 空间；500mm 高，占 9U 空间；350mm 高，占 6U 空间。1U 等于 44.5mm。

2 预留空间需考虑地面采用的活动地板板块的尺寸、设备安装施工方便及运行和维护的安全。

7.7.3 设备安装应本着方便运行和维护，减轻地震破坏，避免人员伤亡，减少经济损失的设计原则，并应符合现行国家标准《建筑机电工程抗震设计规范》GB 50981 的有关规定。

8 电气防护及接地

8.0.1 随着各种类型的电子信息系统在建筑物内的大量设置,各种干扰源将会影响到综合布线电缆的传输质量与安全。表21列出的射频应用设备又称为 ISM 设备,我国目前常用的 ISM 设备大约有15种。

表21 CISPR 推荐设备及我国常见 ISM 设备一览表

序号	CISPR 推荐设备	序号	我国常见 ISM 设备
1	塑料缝焊机	1	介质加热设备,如热合机等
2	微波加热器	2	微波炉
3	超声波焊接与洗涤设备	3	超声波焊接与洗涤设备
4	非金属干燥器	4	计算机及数控设备
5	木材胶合干燥器	5	电子仪器,如信号发生器
6	塑料预热器	6	超声波探测仪器
7	微波烹饪设备	7	高频感应加热设备,如高频熔炼炉等
8	医用射频设备	8	射频溅射设备、医用射频设备
9	超声波医疗器械	9	超声波医疗器械,如超声波诊断仪等
10	电灼器械、透热疗设备	10	透热疗设备,如超短波理疗机等
11	电火花设备	11	电火花设备
12	射频引弧弧焊机	12	射频引弧弧焊机
13	火花透热疗法设备	13	高频手术刀
14	摄谱仪	14	摄谱仪用等离子电源
15	塑料表面腐蚀设备	15	高频电火花真空检漏仪

注:国际无线电干扰特别委员会称为 CISPR。

8.0.3 本条对综合布线系统的电磁干扰防护措施做出了规定。

1、2 综合布线系统选择缆线和配线设备时,应根据用户要求,并结合建筑物的环境状况进行考虑。当建筑物在建或已建成但尚未投入运行时,为确定综合布线系统的选型,在需要时可测定建筑物周围环境的干扰场强度。用本规范中规定的各项指标要求进行衡量,选择合适的器件和采取相应的措施。

　　光缆布线具有最佳的防电磁干扰性能,既能防电磁泄漏,也不受外界电磁干扰影响,在电磁干扰较严重的情况下,是比较理想的防电磁干扰布线系统。本着技术先进、经济合理、安全适用的设计原则,在满足电气防护各项指标的前提下,应根据工程的具体情况,进行合理选型及配置。

8.0.6 采用两根不同长度的连接导体,为高频干扰信号提供低阻抗的泄放通道,可以避免单根导体长度为干扰频率波长的 1/4 或其奇数倍时形成接收或辐射干扰信号的情况。

　　综合布线系统接地导线截面积可参考表 22 确定。

表 22　接地导线选择表

名　　称	楼层配线设备至建筑等电位接地装置的距离	
	≤30m	≤100m
信息点的数量(个)	≤75	>75,≤450
选用绝缘铜导线的截面(mm²)	6～16	16～50

8.0.7 屏蔽布线系统的接地做法,一般在配线设备(FD、BD、CD)的安装机柜(架)内设有接地端子板,接地端子与屏蔽模块的屏蔽罩相连通,机柜(架)接地端子板则经过接地导体连至楼层局部等电位联结端子板或大楼总等电位联结端子板。为了保证全程屏蔽效果,工作区屏蔽信息插座的金属罩可通过相应的方式与 TN-S 系统的 PE 线接地,但不属于综合布线系统接地的设计范围。

8.0.9 电缆、光缆的金属护套或金属构件的接地导线接至等电位联结端子板,但等电位接地端子板的连接部位不需要设置浪涌保护器。

8.0.10 本条为强制性条文。为防止雷击瞬间产生的电流与电压通过电缆引入建筑物布线系统,对配线设备和通信设施产生损害,甚至造成火灾或人员伤亡的事件发生,应采取相应的安全保护措施。

9 防　　火

对于通信缆线的燃烧性能分级，北美、欧洲及国际的相应标准中主要包括缆线受火的燃烧程度及着火以后火焰在缆线上蔓延的距离、燃烧的时间、热量与烟雾的释放、释放气体的毒性等指标，通过测试环境模拟缆线燃烧的现场状况实测取得。表23～表25分别列出了缆线的测试标准与燃烧性能的分级，仅供参考。

表23　缆线国际测试标准

IEC标准（自高向低排列）	
测试标准	缆线分级
IEC60332－3C	—
IEC60332－1	—

注：参考现行IEC标准。

表24　电缆欧洲测试标准及分级表

欧盟标准（草案）（自高向低排列）	
测试标准	缆线分级
prEN50399－2－2和EN 50265－2－1	B1
prEN50399－2－1和EN 50265－2－1	B2
	C
	D
EN50265－2－1	E

注：参考欧盟EUCPD草案。

表25　通信缆线北美测试标准及分级表

测试标准	NEC标准（自高向低排列）	
	电缆分级	光缆分级
UL910(NFPA262)	CMP(阻燃级)	OFNP或OFCP
UL1666	CMR(主干级)	OFNR或OFCR
UL1581	CM、CMG(通用级)	OFN(G)或OFC(G)
VW－1	CMX(住宅级)	—

注：参考现行NEC2014版。

对缆线测试标准与燃烧性能的分级内容进行同等比较后,根据建筑物的不同类型与功能、缆线所在的场合(如办公空间、人员密集场所、机房)、采用的安装敷设方式(吊顶内或高架地板下等通风空间、竖井内、密封的金属管槽)等因素,工程中应选用符合相应阻燃等级的缆线。

我国国家标准《电缆及光缆燃烧性能分级》GB 31247—2014中建议使用以"标准名+级别名",而不以材料名称的方法来判断缆线的安全特性。标准将电缆及光缆燃烧性能等级划分为A级:不燃电缆(光缆);B1级:阻燃1级电缆(光缆);B2级:阻燃2级电缆(光缆);B3级:普通电缆(光缆)。电缆及光缆燃烧性能等级判据为符合相应的标准规定的试验方法。A级的试验方法符合现行国家标准《建筑材料及制品的燃烧性能 燃烧热值的测定》GB/T 14402的规定;B1级的试验方法符合现行国家标准《电缆或光缆在受火条件下火焰蔓延热释放和产烟特性的试验方法》GB/T 31248、《电缆或光缆在特定条件下燃烧的烟密度测定 第2部分:试验步骤和要求》GB/T 17651.2、《电缆和光缆在火焰条件下的燃烧试验 第12部分:单根绝缘电线电缆火焰垂直蔓延试验 1kW预混合型火焰试验方法》GB/T 18380.12的规定;B2级的试验方法符合现行国家标准《电缆或光缆在受火条件下火焰蔓延热释放和产烟特性的试验方法》GB/T 31248、《电缆或光缆在特定条件下燃烧的烟密度测定 第2部分:试验步骤和要求》GB/T 17651.2、《电缆和光缆在火焰条件下的燃烧试验 第12部分:单根绝缘电线电缆火焰垂直蔓延试验 1kW预混合型火焰试验方法》GB/T 18380.12的规定;B3级为未达到B2级的。

工程中应根据具有资质的检测机构出具的缆线燃烧性能级别测试报告选用阻燃缆线。

9.0.2 对超高层及250m以上高度的建筑应特别考虑其高度的影响因素。

附录 A 系统指标

本附录中综合布线信道的性能指标参照国际标准《用户建筑通用布线系统》ISO 11801—2008.4 中列出的表格内容；永久链路和 CP 链路的性能指标参照国际标准《用户建筑通用布线系统》ISO 11801—2010.4 中列出的表格内容。在国际标准中的性能指标参数表格分为需执行的和建议的两种表格，在需执行的表格中列出指标计算公式，在建议表格中只是针对某一指定的频率提出指标要求。其中，需执行的表格针对永久链路和 CP 链路；建议的表格除非特别指出，一般只针对永久链路。本规范从工程验收检测的应用出发，仅以建议的表格列出布线信道和链路的各项指标参数要求。

A.0.4 本条列出的相关指标主要用于验证布线系统对绞电缆信道的屏蔽特性。应根据布线系统应用情况和仪表测试功能进行选择与检测。当现场不具备测试条件时，可将厂商产品资料列出的参数与相关规范及设计对指标参数的要求进行对比验证。

表 26～表 31 列出了欧洲标准 EN 50173—2007 的相关指标及参数，供参考与对比。

1 非屏蔽布线信道中每个线对的 TCL 值应符合表 26、表 27 的规定。

表 26 非屏蔽信道的横向转换损耗（TCL）

等级	频率 f(MHz)	电磁环境（MICE）等级		
		E_1	E_2	E_3
		最小横向转换损耗 TCL(dB)		
A	$f=0.1$	30	30	30
B	$f=0.1$	45	45	45
	$f=1$	20	20	20

续表 26

等级	频率 f(MHz)	电磁环境(MICE)等级		
		E_1	E_2	E_3
		最小横向转换损耗 TCL(dB)		
C	$1{\leqslant}f{\leqslant}16$	$30-5\lg f$	$30-5\lg f$	$30-5\lg f$
D	$1{\leqslant}f<30$	$53-15\lg f,40\max$	$63-15\lg f,40\max$	$73-15\lg f,40\max$
	$1{\leqslant}f{\leqslant}100$	$60.4-20\lg f$	$70.4-20\lg f,40\max$	$80.4-20\lg f,40\max$
E	$1{\leqslant}f<30$	$53-15\lg f,40\max$	$63-15\lg f,40\max$	$73-15\lg f,40\max$
	$1{\leqslant}f{\leqslant}250$	$60.4-20\lg f$	$70.4-20\lg f,40\max$	$80.4-20\lg f,40\max$
F	$1{\leqslant}f<30$	$53-15\lg f,40\max$	$63-15\lg f,40\max$	$73-15\lg f,40\max$
	$1{\leqslant}f{\leqslant}600$	$60.4-20\lg f$	$70.4-20\lg f,40\max$	$80.4-20\lg f,40\max$

注:大于100MHz时的参数仅供参考。

表 27 典型频率点的非屏蔽信道的横向转换损耗(TCL)

频率(MHz)		最小 TCL(dB)						
		频率(MHz)						
等级	电磁环境等级	0.1	1	16	100	250	600	1000
A	E_1	30.0	N/A	N/A	N/A	N/A	N/A	N/A
	E_2	30.0	N/A	N/A	N/A	N/A	N/A	N/A
	E_3	30.0	N/A	N/A	N/A	N/A	N/A	N/A
B	E_1	45.0	20.0	N/A	N/A	N/A	N/A	N/A
	E_2	45.0	20.0	N/A	N/A	N/A	N/A	N/A
	E_3	45.0	20.0	N/A	N/A	N/A	N/A	N/A
C	E_1	N/A	30.0	24.0	N/A	N/A	N/A	N/A
	E_2	N/A	30.0	24.0	N/A	N/A	N/A	N/A
	E_3	N/A	30.0	24.0	N/A	N/A	N/A	N/A
D	E_1	N/A	40.0	34.9	20.4	N/A	N/A	N/A
	E_2	N/A	40.0	40.0	30.4	N/A	N/A	N/A
	E_3	N/A	40.0	40.0	40.0	N/A	N/A	N/A
E	E_1	N/A	40.0	34.9	20.4	12.4	N/A	N/A
	E_2	N/A	40.0	40.0	30.4	22.4	N/A	N/A
	E_3	N/A	40.0	40.0	40.0	34.4	N/A	N/A
F	E_1	N/A	40.0	34.9	20.4	12.4	4.8	N/A
	E_2	N/A	40.0	40.0	30.4	22.4	1.8	N/A
	E_3	N/A	40.0	40.0	40.0	34.4	24.8	N/A

注:大于100MHz时的参数仅供参考。

2 非屏蔽信道的等效横向转换损耗(ELTCTL)应符合表28、表29的规定。在布线的两端均应符合等效横向转换损耗的要求。

表28 非屏蔽信道的等效横向转换损耗(ELTCTL)

等级	频率 f(MHz)	电磁环境等级		
		E_1	E_2	E_3
		最小等效横向转换损耗 TCL(dB)		
D、E、F	$1 \leqslant f \leqslant 30$	$30-20\lg f$	$40-20\lg f$	$50-20\lg f$,40max

注:大于100MHz时的参数仅供参考。

表29 典型频率点的非屏蔽信道的等效横向转换损耗(ELTCTL)

等级	电磁环境等级	最小 ELTCTL(dB)		
		频率(MHz)		
		1	16	100
D	E_1	30.0	5.0	0.5
	E_2	40.0	15.9	10.5
	E_3	40.0	25.9	20.5
E	E_1	30.0	5.0	0.5
	E_2	40.0	15.9	10.5
	E_3	40.0	25.9	20.5
F	E_1	30.0	5.0	0.5
	E_2	40.0	15.9	10.5
	E_3	40.0	25.9	20.5

注:大于100MHz时的参数仅供参考。

3 在布线的两端均应符合耦合衰减的要求。屏蔽信道的耦合衰减应符合表30、表31的规定。

表30 屏蔽信道的耦合衰减

等级	频率 f(MHz)	电磁环境等级		
		E_1	E_2	E_3
		最小耦合衰减(dB)		
D	$30 \leqslant f \leqslant 100$	40	50	60
E	$30 \leqslant f \leqslant 250$	$80-20\lg f$,40max	$90-20\lg f$,50max	$100-2\lg f$,60max
F	$30 \leqslant f \leqslant 600$	$80-20\lg f$,40max	$90-20\lg f$,50max	$100-20\lg f$,60max

表 31 典型频率点的屏蔽信道耦合衰减

等级	电磁环境等级	最小耦合衰减(dB) 频率(MHz)				
		16	100	250	600	1000
D	E_1	40.0	40.0	N/A	N/A	N/A
	E_2	50.0	50.0	N/A	N/A	N/A
	E_3	60.0	60.0	N/A	N/A	N/A
E	E_1	40.0	40.0	32.0	N/A	N/A
	E_2	50.0	50.0	42.0	N/A	N/A
	E_3	60.0	60.0	52.0	N/A	N/A
F	E_1	40.0	40.0	32.0	24.4	N/A
	E_2	50.0	50.0	42.0	34.4	N/A
	E_3	60.0	60.0	52.0	44.4	N/A

A.0.5 本条说明如下：

2 这里的 OS1 和 OS2 是指光纤成缆后的两种光缆链路类型。OS1 指的是室内应用光缆(紧套光缆)，OS2 为室外应用光缆(松套光缆)。